IRISH SYLLABIC POETRY

AN INTRODUCTION TO
IRISH SYLLABIC POETRY
OF THE PERIOD
1200–1600

WITH SELECTIONS, NOTES AND GLOSSARY

BY

ELEANOR KNOTT

Second edition

SCHOOL OF CELTIC STUDIES
DUBLIN INSTITUTE FOR ADVANCED STUDIES

© Dublin Institute for Advanced Studies

This reprint 2005

ISBN 1 85500 048 2

First published Cork University Press 1928;
2nd ed. 1934 [1935]

Corrected reprint, with addenda and corrigenda,
DIAS 1957; reprinted 1964, 1966, 1974, 1981, 1994

Reprinted by
ßetaprint Ltd, Dublin 17

ADDENDA AND CORRIGENDA
1957

(For some of these I am indebted to MR. E. G. QUIN)

As the present edition is a lithographic reproduction it has not been possible to make corrections in the text, and the following list of Addenda and Corrigenda is to be noted.

E.K.

p. 5 line 6 For *coda* read *oba*

p. 12 footnote after *rann* insert: 'part, division'

SELECTIONS

p. 29 §3 d *Perhaps we should read* ar an mbuachail *or* ar an buachail

p. 39 §3 a *Read* Eachaidh,

p. 39 §3 b *Omit bracket*

p. 39 §3 c *Add bracket before* cneas

p. 58 §24 d *Read* a dhá ghéagbhonn

ADDENDA TO NOTES

p. 81 note on §3 b *Add* On Sliabh Iarainn see Professor Éamonn Ó Tuathail in Éigse vi 277; see also his note on the source of the Shannon, ibid. 276.

p. 82 note on §4 a *Add* See Éigse vi 228 f., 298 f.

p. 84 note on ii §1 a *Add* On the importance of Dún Chearmna in prehistoric times see T. F. O'Rahilly, Journal of the Cork Historical and Archaeological Soc. 1939.

p. 84 note on ii §3 b *Add* For the recognized decl. of Cruacha or in Early Modern Irish Cruachain see IGT, Decl. §151, and footnote 3, ibid. O'Rahilly, EIHM 26, n. 2 suggests that the name 'may in origin have been a tribal name in the plural'.

p. 91 note on 16 a *Add* For 'The Artificer of the Three Houses' cf. the tract attributed to Bishop Patrick, beginning *Tria sunt sub omnipotentis Dei manu habitacula.* The latest edition is that by Father Aubrey Gwynn, S.J., in The writings of Bishop Patrick (Dublin, Institute for Advanced Studies, 1956).

p. 93 note on §1 *Add* According to another tradition the name Art the Lonely was given to him when his brother Connla had been enticed away by the woman from 'the lands of the living', see the tale called *Echtra Condla*, preserved in LU and other MSS. The latest and most comprehensive edition is that by Pokorny, Zeits. f. celt. Phil. xvii 193 f. (with German translation).

p. 93 note on p. 45 The complete poem has now been published, with translation and notes, by R. A. Breatnach in Éigse iii 167 f.

p. 97 note on p. 47 The YBL copy of this poem has now been edited in full by Father L. McKenna, ITS xxxvii 110 ff. Professor James Carney informs me that there is in the National Library of Scotland collection, Gaelic MS xxx, a copy lacking the first eighteen stanzas. This enables us to complete 5 b [= 24 (a) of ITS text]; see note on that line above.

p. 105 note on p. 62 The complete text of the Irish 'Adventures of Hercules' has now been edited by E. G. Quin, ITS xxxviii.

p. 106 line 5 For *ann* read *immorro*

APPENDIX

p. 134 line 6 After 3 C 13 *add* (Vol. ii of O'Curry's transcripts from the Book of O'Conor Don)

p. 135 line 9 After *Croidhéan* add : (which gives the required alliteration)

,,   ,, last line After 3 C 12 *add* (Vol. i of O'Curry's transcripts from the Book of O'Conor Don)

CONTENTS

CONTENTS

PREFACE

This little book deals with Irish syllabic verse of the period in which the greater part of the surviving *dán direach* was composed, a period which may be roughly defined by the end of the twelfth century and the beginning of the seventeenth.

In the verse of this period we find a prosody more elaborate and rigid than that of most of the surviving Middle Irish lyrical verse, and therefore, as well as for linguistic reasons, it demands separate treatment. The syllabic system had probably been perfected, though not stereotyped, early in the tenth century. The metrical and grammatical system which we find all over Ireland in the fourteenth century was probably adopted for general use as the result of some reforming movement such as that which took place in Wales in the middle of the fifteenth.

To illustrate the metres described I have added a number of short poems and extracts, chosen mainly as simple and readable specimens of the metres they exemplify.

The beginner is advised to turn to the Selections after studying the sections on language and pronunciation, using the remainder of the introductory portion for reference, by means of the Index. The Glossary is almost exhaustive, and passages requiring annotation are dealt with in the Notes. Thus the student who is familiar with Keating's prose should find very little difficulty in construing these metrical texts.

E. K.

IRISH SYLLABIC POETRY

I use the term syllabic poetry to denote that species of versification which is characterized by regularity in the number and distribution of syllables in the stanza. The Irish syllabic poems, although they were undoubtedly recited with some kind of instrumental accompaniment, are not in song-metres. There is no regularity of stress; in fact, regularity of stress was probably considered as a thing to be deliberately avoided. In stanzas with heptasyllabic, or shorter, lines ending in trisyllables, or with trisyllabic endings alternating with dissyllabic, we come very near to regular stress and rhythm, and it may be possible to show that certain modern measures derive from these, but in the syllabic manner this regularity only belongs to the endings. The line must consist of a certain number of syllables, and end on a stressed word of a certain syllabic length, and it is primarily by the number of syllables in the line, and by the syllabic length of the final word, that a metre is distinguished. The system is not purely Irish in origin. The early native poetry was rhythmical and alliterative, and in the earliest examples rimeless. Professor Thurneysen, in his paper on the development of Irish metric, *Revue Celtique* vi 336 ff., has shown that the syllabic, or 'classical' Irish metres arose under the influence of Latin hymn-poetry of the fifth and sixth centuries; see Meyer's *Primer of Irish Metrics*, p. 5.

Here we may note that it is an error to assume, as some writers have done, that the syllabic poetry was characterized by weak stress; the contrary is the fact.

In noting that regular rhythm is not a requisite of Irish syllabic poetry I do not mean to imply that the poets who wrote in this style had no sense of the value of rhythm or that the syllabic metres precluded the use of rhythm as a means of expression.

VARIETIES OF SYLLABIC VERSE

The sixteenth-century prosodists reckon four styles of Irish versification, as follows : *dán díreach* 'strict versification', syllabic verse with stringent rules of rime, consonance, alliteration, etc.; *brúilingeacht*, syllabic verse on the pattern of *dán díreach*, with equally stringent rules, but allowing simpler forms of rime ; *óglachas*, a loose imitation of *dán díreach* ; the syllabic system is followed, but rimes are fewer and simpler than in strict verse, and there are no rules of consonance or alliteration. Any of the strict metres may be imitated in this manner. *Droigh-neach*, this is the name of a single metre, but the prosodists assign it perforce to a class by itself. It is not *dán díreach*, as the syllabic length of the line may vary within certain limits ; it is not *brúilingeacht* or *óglachas*, as rime, consonance and alliteration are perfect, and strictly regulated, as in *dán díreach*. Specimens of each style are included in the Selections below. Before describing the metres in detail it is necessary to make some observations on the language in which the syllabic poetry is composed, and on the constitution of the various metrical ornaments, rime, consonance, etc.

THE CLASSICAL DIALECT

In reading syllabic poetry words are to be pronounced as spelt. The language used by the poets is a literary dialect, adhering to a traditional pronunciation, and thus differing a good deal from the ordinary spoken tongue. We may lose nothing by reading Keating's prose with modern pronunciation ; but if we read a piece of *dán direach* in the same way, we shall find that syllabic regularity, rime, and other ornaments are very often wanting. In the classical pronunciation the lenited consonants have in intervocalic and final position the same value as when in initial position. One result of this is that many words are longer than in ordinary speech, e.g. : *aghaidh* ' face,' *croidhe* ' heart,' *nighe* ' washing,' are each dissyllabic ; *fiodhbhaidhe* ' woods,' *fleadhughadh* ' feasting ' are trisyllabic. Not only is the initial value of the consonant preserved, but the natural quantity of the preceding vowel is consequently retained, so that the following pairs rime exactly, *aghaidh : anaidh, croidhe : goile, cumha : dula, fiodhbhuidhe : ionmhuine, fleadhughadh : seanUladh, éinionadh : réidhioghadh.*

STRESS-ACCENT

This invariably falls on the first syllable of the word, whatever the quantity of any subsequent syllable. In compound verbal forms such as *do-bheir, ad-chi,* the stress is, of course, on the verbal stem ; the *do-, ad-* being proclitic. In the texts in this volume such proclitics are separated from the stressed syllable by a hyphen.

VARIATIONS

An important feature of the literary dialect is its eclecticism with regard to forms and grammatical usages which in the living tongue are characteristic of particular districts. For example, different locutions, such as *do chuireas*, or *do chuir mé*, *atú* or *atá mé*, may be used according to metrical exigency, within the limits of a single poem, or even a stanza. We also find vocalic variation in certain words, e.g., *clach*, *cloch* ; *dóibh*, *dáibh* ; *fáilidh*, *faoilidh*, and others. Similarly we have doublets such as *racha*, *ragha* ; *síoth*, *síodh* ; etc.

RIME

The Irish term for rime is *comhardadh*. Perfect rime is *comhardadh slán*, imperfect rime is *comhardadh briste.* There is perfect rime between words of which the stressed vowels are identical, and all the consonants subsequent to the first stressed vowel of the same class and quality. The initial consonants need not be of the same class ; they will naturally be of the same quality. Unstressed long vowels must also be identical (see p. 8).

In *deibhidhe* metre, where the rime is between stressed and unstressed syllables, the first riming word being shorter by a syllable than the second, the riming syllables are termed *rinn* and *airdrinn* respectively (see p. 18).

The consonants are ranked in six classes, which I designate here by *b, c, ch, bh, ll,* and *s* respectively, adding in brackets the classification in the mediæval tracts.[1] A consonant rimes only with another in its own class :—

Class b (*na trí chonnsuine chruaidhe*) : *b, g, d* rime, as *gad : lag, foda : coda, géag : séad leanab : sealad.*

Class c (*na trí chonnsuine bhoga*) : *c, p, t* rime, as *lot : cnoc : sop, maca : slata.*

Class ch (*na trí chonnsuine gharbha*) : *ch, ph (f), th* rime, as *sgeach : cleath, Life : ithe, eich : beith.*

Class bh (*na seacht gconnsuine éadroma*) : *bh, gh, dh, l, mh, n, r* rime, as *neamh : feadh, taraidh : adhaigh, ionadh : iodhan, teagh : treabh, eibhe : meile.*

Class ll (*na cúig chonnsuine theanna*) : *ll, m(m), ng, nn, rr* rime, as *mall : barr : crann : am, long : fonn : corr, druim : tuill, cluineam : fuigheall.* When consonants of the *ll* class are in intervocalic position, or preceded by a long vowel, they may rank with the *bh* class ; thus *cruinne : buille* and *cruinne : uile* are both true rimes ; similarly *ciall : iarr, ciall : rian, féin : céim,* etc.

Class s (*connsuine aimrid nach cóir a modh ar bioth gan .s. eile na haghaidh*) : this consonant forms a class in itself, and no other consonant makes perfect rime with it.

---

[1] See Irish Grammatical Tracts, Introd. § 13 (suppl. to *Ériu* viii). A list of terms is given *ib.* p. iv.

CONSONANT GROUPS IN RIMING WORDS

Riming consonant groups correspond in general effect,
e.g., *inneadh* : *inbhear*, *lochta* : *corpa*, *cortha* : *tolcha*,
fairrge : *cailge*.

Setting aside for the present the consonant groups
containing -*s*- we can arrange the remainder of the riming
groups in four divisions. A group belonging to one
of these divisions can only rime with another in the same
division :

1 Groups consisting of consonants from the *b* and *bh*
   classes, as *Tadhg* : *ard*, *téidbhinn* : *éigrinn*, *tolga* :
   orda.

2 Groups consisting of consonants from the *c* class,
   accompanied by consonants from the *ch* or *bh* class,
   or from both of these, as *ocht* : *molt*, *glacbhán* :
   martán, *sultmhar* : *luchtmhar*, or of consonants from
   the *b* class followed by one of the *c* or *ch* class,
   as *géagthrom* : *éantonn*.

3 Groups consisting of consonants from the *ch* class and
   the *bh* or *ll* class, or both, as, *achlán* : *athnár*,
   comhthrom : *conchlann*, *dearbhthar* : *seangfadh*,
   sithchealg : *ilcheard*.

4 Groups consisting of consonants from the *bh* or *ll* class,
   or both, as *aibhnibh* : *laighnigh*, *snadhma* : *tarbha*,
   binngheal : *inghean*.

S IN CONSONANT GROUPS

Lenited *s* is silent in the interior of a compound, thus *séimhsheang* : *Éireann*. Therefore *s* enters into riming groups only when it occurs in the interior of a simple word, as in *cosmhail, aidhbhseach, cosg* ; when it is the final consonant of a word in composition, as in *bosghlan* ; the initial of a demonstrative suffix, as in *an fearsoin* ; when it precedes *b, d, g,* or *m,* as the initial of a word following another in composition, as : *seinsgríbhinn, síorsmuaineadh,* etc.

The principal rules governing *s* in consonant groups are : it unvoices preceding *b, d, g* ; it unvoices and delenites a preceding *dh* ; does not lenite a following *d* or *t,* but it voices the *t* ; it gives to *ch* or *f (ph),* preceding or following, the value of a consonant of the *bh* class, thus *gríosmhálla* : *cíoschána, éadachsoin* : *éagosmhail.*

INFECTION

These are the general rules governing the construction of riming consonant groups ; we must also take into account the influence of neighbouring consonants on one another. When words are joined together to form a compound, the initial of the second word, and that of each subsequent word, supposing the compound to consist of three or more simplexes, is invariably lenited, unless the final of the preceding component is such that it prevents lenition ; e.g., *barr-ghlan, grian-shruth* ; *t* after *l* or *n* is of course unlenited ; *l, n* may blend with a following *d,* giving *ll, nn.* Other cases of blending are : *bh* followed by *p* which gives *p* ; *bh* and *m*> *m* (*sriobhmall* : *Sionann*) ; *ch* slender and *g*> *c* ; *d* or *dh* and *t*> *t* ; *gh* and *c*> *c* ; *m* or *mh* and *m*> *m* ; *m* and *bh*> *m* ; *th* and *d*> *t* ; *ch* does not lenite a following *c* or *g* ; when slender, as stated, it unvoices the *g*.

The quality of the consonant group formed by the junction of two words in a compound follows that of the initial of the second word, e.g., *arm* and *dearg, airmdhearg* ; *caoin* and *dath, caondath* ; *fionn* and *fear, finnfhear* ; *dath* and *geal, daithgheal* ; *bog* and *geal; boiggeal*, etc. Where there is only one consonant at the junction the rule is the same, whether this consonant be the final of the first word or the initial of the second, it will follow the quality of the subsequent vowel ; e.g., *gnéabhuan* (*gné* and *buan*), *geilEamhain* (*geal* and *Eamhain*).

VOWELS IN UNSTRESSED SYLLABLES

The unstressed short vowels of a word are 'obscure' ; thus it makes no difference whether we write in an unstressed syllable *a, o,* or *u* after a broad consonant ; *e* or *i* after a slender one, e.g., *teaghsoin* : *easbhaidh, dealaghadh* : *mearughadh*. Long vowels must be identical even in unstressed position.

IMPERFECT RIME

The Irish term is *comhardadh briste* ; it consists in identity of vowels as in *comhardadh slán*, and agreement of consonants in quality, but not in class, as, *meas* : *leath*, *crìoch* : *dìon, iarlacht* : *iasgach*. The deliberate use of imperfect rime and consonance throughout a poem marks it as *brúilingeacht*.

POSITION OF RIME

Rime may be final—that is, between words which terminate lines ; internal, when a word in the interior of one line of a couplet rimes with a word in the interior of the next. We may also have rime between the final word of the first line of a couplet and a word in the interior of the next ; the technical term for this is *aicill*. Each of these is illustrated in the following stanza :

> *Do bhíoth dhamh ag déanaimh eóil*
> *an ghéagsoin fa gar do mhaoin ;*
> *fada siar ón tìrsi thuaidh*
> *aniar uain do-chínnsi an gcraoibh.*

There is final rime between *mhaoin* and *gcraoibh* ; in the second couplet there is perfect internal rime between *siar* and (*an*)*iar*, *tìrsi* and (*do-*)*chínnsi* ; there is *aicill* between *thuaidh* at the end of the third line and *uain* in the interior of the last. In the first couplet *dhamh* and *gar* rime perfectly, and *déanaimh* and *ghéagsoin* make an imperfect rime, which is usually sufficient for the first couplet.

When two or more words in a line rime with words in a line preceding or following, no non-riming stressed word should come between them in *dán dìreach*.

B

ASSONANCE

This is the most fitting English rendering of *amus*, which differs from *comhardadh slán* and *c. briste* in being merely a correspondence of vowel sounds ; the consonants need not agree, and the assonating words need not be of the same syllabic length, as in

> *searbh fuaim crot ó chiarlonaibh*
> *fa bhruachaibh port páircshleamhain,*

where there is *amus* between *fuaim* and *bruachaibh*. A ruder kind of *amus* is that between *eatha* and *gartha* on p. 70.

CONSONANCE

The Irish term for this is *uaithne*. There is consonance between words when all the corresponding vowels are of the same quantity, the corresponding consonants or consonant groups of the same class, and the final consonants of the same class and quality, e.g. : *múr∴gníomh∴saor, bleidheadh∴curadh∴talamh, inríogh∴ comhlán∴iomnár, anumhla∴doimheanma∴ealadhna.*

Imperfect consonance, *uaithne briste*, differs from *uaithne* in that the consonants need not be of the same class, thus *cath∴clog, rachadh∴cogadh.* In the stanza cited on p. 9 the final words of the first three lines consonate perfectly.

ALLITERATION

Stressed words beginning with the same consonant, or with a vowel, form with each other alliteration, called in Irish *uaim*. Alliteration is prevented if the words are separated by any stressed word. Unstressed words do not prevent alliteration. When a word is eclipsed the radical initial counts for alliteration, e.g., *b* and *mb* alliterate; *t* and *dt*. Lenition does not prevent alliteration, except in the cases of *f*, *p*, and *s*. As initial lenited *f* is silent it is ignored for alliteration, so that *fhlaith* alliterates with *lámh*, *fhir* with *ollamh*, *fhreagra* with *riot*. Lenited *p* alliterates with *f*; lenited *s* alliterates with another lenited *s*. The double consonants *sb* (*sp*), *sd* (*st*), *sg* (*sc*), *sm* do not alliterate with one another or with any other consonant; *sb* alliterates only with another *sb*, and so on; *sl*, *sn*, *sr* can alliterate with each other or with *s* followed by a vowel. When *s* is eclipsed by *t* after the article it can alliterate only with another similarly affected, thus *an tsíodh* with *an tsleagh*.

ELISION

Elision, for which the Irish term is *báthadh*, takes place when two or more unstressed vowels come together. Final vowels are never elided.[1] An unstressed short vowel is elided when another vowel precedes it. An unstressed long vowel preceded by another vowel may or may not be elided. Vowels are not elided at the beginning of a line, except in the case of *is* (conjunction or copula, which may become *s*), the prep. *i n-* before a possessive (*ina*, *na*). In these cases the vowels may be elided, even after a consonant, in any part of the line.

[1] The change of *do*, *mo*, etc. to *d'*, *th'*, etc., before a vowel is not to be classed with metrical elision.

METRICAL STRUCTURE

The unit of metrical structure is usually the four-lined stanza, called in Irish *rann*.[1] Each line (*ceathramhain*) of the stanza has a fixed number of syllables. In most metres the stanza may also be considered as two closely related couplets (*leathranna*). The ornament of the second couplet is usually more elaborate, and subject to stricter rules, than that of the first.

Historically considered, some at least of the syllabic metres are built up on couplets of two long lines, and in paper manuscripts this is the commonest, though not the invariable, arrangement, the caesura being marked by a comma or a period. But scribes are wont to use their available space economically, and that the two line theory would have been favoured by 16th century scholars is at least doubtful. The term *ceathramhain* implies a four-lined arrangement. The prosodists of the early Irish period certainly regarded the stanza as consisting of four lines (see *Irische Texte* iii 7, 11 ; 128). In vellum manuscripts, which are usually in double columns, the stanza may be written in 5, 6 or 7 lines of irregular length, the beginning of each stanza being denoted by a capital letter ; the period (.) marking the ends of the uneven lines.

---

[1] The earlier prosodists use *rann* in the sense of ' line,' see *Irische Texte* iii 7, 11.

DESCRIPTION OF METRES

NOTE : The lines of the stanza are denoted by *a*, *b*, *c*, *d*, respectively. In the formula, e. g. 7^2 the 7 refers to the number of syllables in the line, the ² to the number in the ending ; $7^2 + 7^3$ means that *ac* are of seven syllables ending in a dissyllabic word ; *bd* of seven syllables ending in a trisyllabic word.

In every metre the poem should end with the same word or syllable with which it begins ; or the whole of the first line may be repeated, as in the poem on p. 24. The technical term for this ending is *dúnadh*. The metres described are those most commonly found in the compositions of the period.

FOUR-LINED STANZAS WITH LINES OF EQUAL SYLLABIC LENGTH

I *Ae freislighe* $7^3 + 7^2$. The lines are heptasyllabic, *ac* ending in trisyllables, *bd* in dissyllables ; *b* rimes with *d*, *a* with *c*.

This metre is not often found in *dán díreach*, but it is a favourite in *brúilingeacht*, i.e., with *comhardadh briste* :

> Dó's fearr thig an tosachsa,
> Ó Maol Ruanaidh, rí Céise ;
> tearc neach ar an domhansa
> is fairsinge nó's féile.

Irish Monthly, 1921, p. 20.

See infra p. 21 ; *Measgra Dánta* 143 ; *Dánta Grádha*² 13, 15, 61.

II *Rannaigheacht mhór* $7^1 + 7^1$. Heptasyllabic lines with monosyllabic endings ; *b* and *d* rime, and *ac* consonate with them. There are at least two internal rimes in each couplet, and the final word of *c* rimes with a word in the interior of *d*. The internal rimes in the first couplet need not be perfect, *comhardadh briste*, or *amus*, will do. In the second couplet the rimes must be perfect. Two words must alliterate in each line, the final of *d* alliterating with the preceding stressed word. See pp. 31, 45. In the more ornate style, the rimes are perfect in the first couplet as well as in the second. For an example of *óglách as* of this metre see p. 24; it will be noticed that the rimes are often imperfect, and the only ones are those between *b* and *d*, and between the finals of *ac* with words in the interior of *bd* respectively. Alliteration is unnecessary.

Another variety of *rannaigheacht mhór* is exemplified on p. 27. This poem is probably much earlier than the other pieces given here, but it is included in illustration not only of a very pleasing measure, but of a freer usage of *dán díreach*. The first line is shortened to three syllables[1]; in some stanzas *abd* rime together, and the final of *c* rimes with a word in the interior of *d*. As a variant to this, we have rime between *b* and *d*, the final of *a* makes rime or *amus* with a word in the interior of *b*, the final of *c* with a word in *d*. There is no consonance, but the end-rimes are perfect, and the others usually so. In the early metrical tracts this variety of *rannaigheacht mhór* is called *randaigecht*

---

[1] This shortening of the first line is a common variation, not only in *rannaigheacht*, but in *deibhidhe*, in the early poetry. Later scribes, and some modern editors, misunderstand the intention, and spoil the effect by repeating the line with *ón* prefixed, in order to obtain the usual seven syllables.

cetharchubaid garit dialtach 'short monosyllabic fourharmon-
ied versification'. It may be briefly termed *rannaigheacht
ghairid*. When the lines end in dissyllables it is called
randaigecht chetharchubaid garit récomarcach 'short dissyl-
labic four-harmonied versification'.

III *Rannaigheacht bheag* $7^2 + 7^2$. The rules are the
same as those for *rannaigheacht mhór*, but the endings
are dissyllabic. See p. 24 for an example of *óglāchas* of
this metre ; for a *dán dīreach* example see p. 67.

IV *Casbhairdne* $7^3 + 7^3$. Heptasyllabic lines with tri-
syllabic endings. *b* and *d* rime, and *ac* consonate with
them ; there are at least two internal rimes in each
couplet ; in the first the rimes need not be perfect ;
alliteration in each line as in *rannaigheacht*, the final of *d*
alliterating with the preceding stressed word, for example :

> Comhtha ó Thráigh Lí ad leanamhain,
> is í an táin do thoghabhair ;
> fosdar h'each ar aradhain
> d'fhosdadh creach re comhadhaibh.
>
> (YBL 373b)

> Géill ríogh re a gcois ceangailte,
> sgol do chrích gur comairce ;
> cliar ní fhoil gan imirce
> ag triall ór gCoin Connaichtne.
>
> (Zeitschr. f. celt. Phil. 2, 339)

When composed in the *brúilingeacht* style, as in the
example on p. 70 infra, the stanza may run to six or eight
couplets.

v   *Rionnaird* $6^2 + 6^2$.   Hexasyllabic lines with dis-syllabic endings. Different kinds of *rionnaird* are dis-tinguished, according to the metrical effect of the endings (*reanna*). In *rionnaird dá n-ard b* and *d* rime, *ac* do not consonate with them ; in *rionnaird trí n-ard*, the com-monest form, *b* and *d* rime and *c* consonates with them ; there are two internal rimes in the second couplet[1]; none in the first ; there is alliteration in each line as in *rannaigheacht*, and the final of *a* alliterates with the first stressed word of *b*. In *rionnaird cheithre n-ard b* and *d* rime and *ac* consonate with them ; there is internal rime in each couplet, and alliteration in each line, as in *rannaigheacht* ; the final of *a* need not alliterate with the first stressed word of *b*. I have not met an example of *r. dá n-ard* of this period ; the ex. infra p. 33 is for the most part in *r. trí n-ard*, §§ 14, 16 being in *r. cheithre n-ard*.

FOUR-LINED STANZAS WITH LINES OF UNEQUAL SYLLABIC
LENGTH

vi   *Séadna(dh)* $8^2 + 7^1$.   *ac* octosyllabic with dissyllabic endings ;   *bd* heptasyllabic with monosyllabic endings ; *b* and *d* rime, and the final of *c* rimes with the stressed word preceding the final of *d*. This stressed word should not be separated from the final of *d* by anything longer than a monosyllabic *iairmbéarla* (= atonic word). There are two internal rimes in the second couplet ; there is alliteration in each line, the final of *d* alliterating with the preceding stressed word ; the final of *a*, in addition,

_____
[1] Except when there is only room for one rime, as in § 1, p. 33 infra.

alliterates with the first stressed word of *b*. For example see pp. 23, 47.

VII *Séadna(dh) mór*, or *dian mhidhsheang* $8^2 + 7^3$. *ac* octosyllabic, with dissyllabic endings ; *bd* heptasyllabic, with trisyllabic endings ; the other rules as in *séadna*. Thurneysen believes that this metre was in its earliest form the source of most of the syllabic measures, and it seems to have been the starting point of some of our elaborate rhythmical ones. The metre exemplified in *Dia do chruithigh grianbhrugh nimhe* (Trans. Gael. Soc. Inverness xxvi 91, Timthiridh an Chroidhe Neamhtha VI ii, *The Fernaig MS* (1923), pp. 26, 329) ; *Toghaim Tomás, rogha 's roghrádh* (Kilk. Arch. Journ. i 470), *D'fhigh duine éigin roimh an ré so* (ITS xviii 76), etc., appears to have arisen from a *brúilingeacht* of *dian mhidhsheang*.

VIII *Deachnadh mór* $8^2 + 6^2$. *ac* octosyllabic, *bd* hexasyllabic, all endings dissyllabic ; rules of rime, alliteration, etc., as in *rannaigheacht bheag*, save that *aicill* between *c* and *d* is not required. This measure is comparatively rare at our period, and is not exemplified in the Selections infra. I give here a stanza from the religious poetry :

> Tugas mo thoil d'fheirg is d'uabhar,
> > budh goin deilg gan dúnadh ;
> is treise dhamh ná don Dúileamh,
> > ní ghabh meise múnadh.

> > > > YBL 370 b ; *Dán Dé* xii 6

IX *Snéadhbhairdne* or *Deachnadh cumaisc*[1]. The normal

---

[1] This metre is not described in the 16th cent. tracts, so far as

scheme is *ac* octosyllabic, *bd* quadrasyllabic ($8^2 + 4^2$),
but is often varied by making *b* or *d*, or *bd* octosyllabic,
a or *c* or *ac* quadrasyllabic ; compare p. 54 § 1 etc., with
p. 55-58 §§ 9, 10, 21. The endings are regularly dissyllabic ;
b and *d* rime, and *c* consonates with them ; if *c* is the
quadrasyllabic line in the second couplet each stressed
word in it makes internal rime with *d*. Every stressed
word in *d* must rime ; the final with the final of *b*, the
others with words in *c*. Alliteration usually as in *séadna*
and *rinnaird trí n-ard*, but in some examples it is regularly
wanting in the first short line.

FOUR-LINED STANZAS COMPOSED OF COUPLETS
WITH RIMING LINES

✗   x   *Deibhidhe* $7^x + 7^{1x}$. This is the commonest of all
the syllabic metres. The stanza is composed of four hepta-
syllabic lines, *a* riming with *b*, *c* with *d*. These *deibhidhe*
end-rimes are between words of unequal syllabic length,
the final of the second line of the couplet having a syllable
prefixed to the syllable or syllables forming the rime with
the final of the first, e.g., *seach* : *uaigneach* ; *labhra* : *ealadhna*.
A monosyllabic word ending in a long vowel may rime
with a dissyllable ending in a short vowel, as *mná* : *locha* ;
sé : *duine*. This rime between words of unequal syllabic
length is called by the old prosodists *rinn* and *airdrinn* ;
rinn being the shorter word, *airdrinn* the longer. As the

I know, although it is frequently used in our period. In the
early metrical tracts it is known by different names according
to the disposal of the long and short lines ; see Irische Texte
iii 152.

word is always stressed on the first syllable, as observed above, the rime is between stressed and unstressed syllables, as though an English versifier should rime *bit* and *rabbit*, *silly* and *merrily*[1]. The other requisites of *deibhidhe* in its full *dán díreach* style are alliteration between two words in each line, the final of *d* alliterating with the preceding stressed word, and at least two internal rimes between *c* and *d*. Thus it is the easiest of all metres in the strict style, and it is the commonest of the syllabic metres in use during our period.

In the *óglúchas* style the end-words of one couplet are often of the same syllabic length, on the other hand, the *airdrinn* rime may exceed the *rinn* by two syllables instead of one, as *de : fáisdine* ; there are no rules of alliteration. Of *deibhidhe* in *dán díreach* there are several examples infra. I subjoin a couple of stanzas in *óglúchas* :

> Iar dtuitim Eóghain i gcath,
> cia ba rí ó shoin amach,
> ar ghrádh th'einigh abair rinn,
> an feadh do mhair mac Feidhlim ?
> > (*Iomarbhágh na bhFileadh* i p. 68)

> Roba mhaith m'eangnamh san chath
> i n-aghaidh na n-allmharach ;
> ro thuitseat liomsa fa thrí
> trí caoga fear go gcaoimhlí.
> > (*Acallam na Senórach*, Stokes 3610)

---

[1] Each strongly stressed on the first syllable.

In most metres there is more freedom in stanza
formation when the poem is *brúilingeacht* or *óglóchas*;
six or more couplets may be included in one stanza.
Something similar, though not exactly the same, may be
noted in the *deibhidhe* contributed to the *Iomarbhágh* by
Roibeard Mac Artúir, whose second poem, though printed
in couplets in the ITS ed., is really composed in
paragraphs; an interesting development.

STANZAS OF TWO OR MORE COUPLETS, THE LINES VARYING IN SYLLABIC LENGTH

XI   *Droighneach* 9-13³ + 9-13³. The line may consist of
9, 10, 11, 12, or 13 syllables, and ends always in a tri-
syllabic word; the stanza may consist of 2, 3, or more
couplets. There is rime between the finals of *b*, *d* (*f*, etc.),
and *a*, *c*, etc., each make *aicill* and *uaithne* with the following
line. There are at least two internal rimes in each couplet;
alliteration in each line, usually the final word of the line
alliterates with the preceding stressed word, in the last
line of the stanza this is the invariable rule, as in all
dán díreach metres. Standish H. O'Grady's remarks on
droighneach are worth quoting: ' The structure of this
measure compels a free use of compound words, and
makes poems in it difficult to translate at once closely
and intelligibly; it is suited only to florid and stilted
efforts . . . or to humorous and satirical compositions:
had Aristophanes written in Irish he would have done
wonders with it.' (*Catalogue of Irish MSS. in the British
Museum*, p. 399 n.). I give a comparatively simple
specimen infra, p. 72 ff.

SELECTIONS

THE SHANNON

Diarmaid Ó Briain. cc.

1   A Shionann Bhriain Bhóroimhe,
      iongnadh is méad do gháire,
    mar sguire dod ghlóraighe
      ag dol siar isin sáile.

2   Gluaise láimh ré Bóroimhe,
      téighe láimh ré Ceann Choradh,
    ag moladh Mheic mhórMhuire,
      go bráth bráth is binn t'fhoghar.

3   An port asa dtéighisi,
      ó Shliabh Iarainn 'ga neimhcheilt ;
    lór a luaithe téighisi
      tré Loch Ríbh, tré Loch nDeirgdheirc.

4   Ag dol tar Eas nDanainne
      nocha nfhéadthar do chuibhreach ;
   is ann do-ní an ramhaille,
      ag dola láimh ré Luimneach.

5   Ó Luimneach an mhearsháile
      go dtéighe i nInis Cathaigh,
   láimh ré port ar Seanáinne,
      caidhe th'imtheacht 'na dheaghaidh

6   Fa imlibh ar bhfearainne
      meinic théighe in gach ionam,
   ar ais tar Eas nDanainne,
      ag dul san bhfairrge, a Shionann.

7   Bóinn is Siúir is seinLeamhain
      agus Suca nach sriobhmall—
   adeirid na deighleabhair
      gurab uaisle tú, a Shionann.

AN INAUGURAL ODE

Fearghal Óg Mhac an Bhaird .cc.

1 Brian Ó Ruairc mo rogha leannán
   lór a bhuga ag bronnadh séad ;
  'sis lór a chruas i gcrú chaoilshleagh,
   an cnú do chnuas Ghaoidheal nGréag.

2 Murchadh mhac Briain, bradán Sionna,
   samhail Í Ruairc ó Ráith Té ;
  nó Niall Caille, nár éar aoinfhear,
   déar aille na n-aoigheadh é,

3 Rí Calraighe na gcreach líonmhar,
   budh leis Teamhair, treabh na Niall ;
  béal Bearchán do bhí dhá labhra—
   budh rí ar seanchlár Banbha Brian.

BRIAN

GORMFHLAITH .CC.

Two of the ' pittifull and learned dittyes '
attributed to the widow of Niall Glúndubh.

i

1   Dubhach sin, a dhúin na ríogh,
    ní hiongnadh dhuit do dhíth Néill ;
dob annamh leat orchra ort,
    dubhach sibh anocht dá éis.

2   Giodh dubhach ataoisi anocht,
    dobudh tusa cnoc na gcliar ;
dob annamh tusa leat féin
    i n-aimsir Néill na Naoi nGiall.

3   Gach flaitheas acht flaitheas Dé
    a chaitheamh uile is é a chríoch ;
an saoghal ní hadhbhar tnúidh,
    dubhach sin, a dhúin na ríogh.

ii

1   Folamh anocht Dún Chearmna,
    do Ráith Teamhra is cúis bhaoghail ;
méad uaigneasa an dúin dreachglain—
    beart do bheartaibh an tsaoghail.

2   Ríoghradh fhial an dúin duasbhuig
       ar nach bíodh uamhain foghla,
dá n-éis is truagh mar táimsi,
    'sgan ann acht áite folmha.

3   Gearr go rabhad 'na n-uathadh,
       Ráth Chruachan is Ráth Teamhra ;
gá beag dóibh so do robhadh ?—
    folamh anocht Dún Chearmna.

WELCOME TIDINGS

Eóghan Ruadh Mhac an Bhaird .cc.

1 Ionmhuin sgríbhionn sgaoiltear sunn,
mór mbeadhgadh do bhean asam ;
saor, a Dhé, ar aithleónadh inn !—
aithbheódhadh é dhom inntinn.

2 Dá mairdís a bhfaca féin
d'uaislibh Gaoidhiol Guirt ríghNéill,
do bheith fáth faoilti don dreim
i dtráth sgaoilti don sgríbheinn.

3 An oidhche tánuig tar tuinn,
bíodh nách biadh 'na Ua Domhnaill,
díol é gach moirne dá mhéad,
bíodh ar an gCoimdhe a choimhéad !

4 Aodh Ó Domhnaill—gá dám dhó ?—
gan d'aois sunn acht seacht mbliadhno,
damhna mo ríogh, robháidh liom,
sgoláir rod-sgríobh, a sgríbhionn.

IONMHUIN.

THE LAMENT OF CRÉIDHE

1   Géisidh cuan
      ós bhuinne ruadh Rinn dá Bhárc,
    bádhadh laoich Locha dhá Chonn
      is eadh chaoineas tonn re trácht.

2   Luinche corr
      i seisgeann Droma dhá Thréan ;
    sisi ní aincheann a bí,
      sionnach Dá Lí ar tí a héan.

3   Truagh an fhaoidh
      do-ní an smaolach i nDruim Chaoin,
    agus ní neamhthruaighe an sgol
      do-ní an lon i Leitir Laoigh.

4   Truagh an tséis
      do-ní an damh i nDruim dhá Léis ;
    marbh eilit Locha Síleann,
      géisidh damh Díleann dá héis.

5   Ba saoth liom
      bás an laoich do luigheadh liom,
    mac na mná ó Dhoire dhá Dhos,
      a bheith aniú is cros fa chionn.

6   Truagh an gháir
do-ní tonn trágha re tráigh ;
ó ro bháidh mh' fhear seaghdha saor
is saoth liom a dhul 'na dáil.

7   Truagh an treas
do-ní tonn san tráighsi theas ;
misi, táinig ceann mo ré,
measaide mo ghné ro-feas.

8   Ciothghal trom
do-ní tonn teann Tolcha Léis ;
misi, nocha nfhuil mo mhaoin
ó ro mhaoidh an sgéal ro ghéis.

SYMPATHY

From the xvth-century LEBAR BRECC.

1   Cumhthach labhras an lonsa,
an t-olc do fhuair dfheadursa ;
cidh bé do théalaigh a theagh,
is fá éanaibh do hairgeadh.

2   An t-olc fhuairsean anossa
ní cian uaid ó fhuarussa,
maith m'aithne er dha labhra, a luin,
a haithle h'adhbha d'argain.

3   Do chridhesi, a luin, do loisc,
a ndearna an duine díchoisc ;
do nead gan éan is gan uigh,
sgéal is beag ar a mbuachail.

4   Tigdís fád ghothaibh glana
do muintir nua a-nallana ;
éan nocha tig as da thaigh,
tar béal do nid ba neanaidh.

5 Do mharbhsad buachaille bó
  do chlannsa uile i n-aonló ;
  ionann sódh damhsa agus duit,
  mo chlannsa ní mó maraid.

6 Do bhí ag ingheilt co hadhaigh
  leithéan an eóin allmharaigh,
  do-chuaidh er an sás ar sin,
  co bhfuair bás leisin mbuachail.

7 A Fhir do chumm an cruinne,
  doiligh linn do leattruime ;
  na caraid atá rér dtaoibh
  maraid a mná 'sa macaoimh.

8 Táinig sluagh sídh 'na sidhe
  do mharbhadh ar muintire ;
  gádh cin co gabhad ón ghuin,
  noco mó a n-ár ó armaibh.

9 Cumha ar mná, cumha ar gclainne,
  tréan a imshníomh orainne !
  can a slighe a-muigh 'sa-mach
  da thuil mo chridhe cumhthach.

        CUMHTHACH.

A LOST LANDMARK

Laoiseach Mhac an Bhaird .cc.

1   Mo chean duitsi, a thulach thall!
       fád thuisleadh ní subhach sionn;
     damhna sgíthi do sgeach dhonn,
       cleath chorr do-chíthe ós do chionn.

2   Sgeach na conghára, crádh cáigh,
       'na háit comhdhála do-chínn;
     buain na craoibhe—mo lá leóin!
       daoire 'na deóidh mar tá an tír.

3   Dubhach mo chridhesi um' chum
       fád bhilisi, a thulach thall;
     an chleath ó bhfaicinn gach fonn—
       do sgeach chorr ní fhaicim ann.

4   Do bhíoth dhamh ag déanaimh eóil
       an ghéagsoin fa gar do mhaoin;
     fada siar ón tírsi thuaidh
       aniar uain do-chínnsi an gcraoibh.

5   An ghaoth ar bhfoghail a fréamh,
       craobh gan bhloghadh doba buan ;
    ní tearc neach dá ndearna díon,
       sníomh na sgeach fa teadhma truagh.

6   Géag chruthach bá corcra lí,
       mé dubhach má dol fa dhlaoi ;
    mairg nár smuain ar dhaoirsi nDé,
       'sgo bhfuair mé fád chraoibhsi caoi.

7   Do teasgadh ar n-aoinchreach uann,
       an chaoimhsgeach dob easdadh d'eón ;
    sgé a samhla níor fhás a húr,
       dhúnn go bás badh damhna deór.

8   Mo chréidhim go bruach mo bháis
       mon-uar nach éirghionn arís ;
    ní fhaicim cnoc na gcleath gcnuais
       nach gluais lot na sgeach mo sgís.

9   Cnoc na gconghár—crádh na sgol—
       i n-orláimh námhad a-niodh ;
    d'éis a learg is dubhach dhamh,
       tulach ghlan do chealg mo chion.

                                                MO.

REMEMBER THY CREATOR IN THE DAYS OF THY YOUTH

Maoil Eachlainn Ó Huiginn .cc.

1   Tánaig an tráth nóna,
       a-nochd nóin ar saoghail ;
    neimhiongnadh um nónaidh
       ceiliobhradh dar gcaomhaibh.

2   Is beag a fhios agam,
       re hiarnóin dá n-anam,
    mh'aire cáit a gcuiream,
       caidhe an áit a n-anam.

3   Ná hanam re haidhchi,
       budh aithreach dá n-anam ;
    atá mar eachd oram
       an lá do theachd taram.

4   Is urusa a aithni,
       madh áil céim i gciana,
    an tráth bhus tráth nóna
       do chách nach tráth trialla.

5   Rú is cosmhail a gcanam,
      ní céim é eidir óghaibh,
    fir ar feadh a saoghail
      nach sir neamh go nónaidh.

6   Neamh d'fhagháil go héasgaidh
      ní hurusa ar aba
    'snach aisdir cách chuga
      tráth an aisdir fhada.

7   D'fhior a n-earr a aoisi
      olc d'fhagháil Dé dúiligh,
    gan deibhthir do dhéanaimh
      go deighthigh an Dúilimh.

8   Gach aon asa óige
      adhrus croidhe cunnla
    téid tráth don tigh neamhdha,
      ag sin fháth na humhla.

9   Do-bhéarad sin srotha
      ag snighi asna súilibh ;
    nach é an trátsain tiaghair
      fa ghrátsaibh Dé dúiligh ?

10   Triall mall go múr nimhe
       do-ním, ní nár dhúla,
    'sdo-ním fhilleadh uadha
       re silleadh na súla.

11   Mairg tháinig mo thurus,
       teach Dé muna dhlighim ;
    truagh mo chur i gcolainn,
       'sgan dul uadh go hinnill.

12   Meisdi méad mo thoice,
       má thug uabhar oirne ;
    innmhe an tí is fhearr innmhe
       ní bhí achd mar cheann gcoinnle.

13   Olc an t-adhbhar díomais
       dealbh ina deilbh thadhaill ;
    an gné is áille oruinn
       is sgáile é a n-abhainn.

14   Téid gach duine dhínne
       mar théid tuile sléibhe ;
    na ba 'sna heich áille
       'gá mbreith mar gha ngréine.

15 Taobh re toice an bheatha
   abhus is beag dtaraidh ;
   tall atá ar dteagh bunaidh,
   geal lá ann is adhaigh.

16 'Sé Saor na dtrí dtoigheadh
   nach bí dh'aol ná dh'eimhear ;
   ní bhia mé dhá mholadh,
   sé 'na Dhia fa dheireadh.

17 Sleagh do chur 'na chroidhe,
   claon do bheith 'na bhrághaid,
   cách ní cóir nach smuainid
   an nóin an tráth thánaig.

TÁNAIG.

ALEXANDER'S EMPIRE

Fearghal Óg Mhac an Bhaird .cc.

1   D'éis a éaga amhlaidh soin,
Alasdar airdrí an domhain—
ní bhí an saoghal acht fa seach—
do bhí a aonar go huaigneach.

2   An domhan ó mhuir go muir
ar son gur chuir fa chomhthaibh—
créad acht cás bróin do bhrosdadh?—
ar bhás níor fhóir Alasdar.

3   I ndiaidh a bháis ar an mbioth,
cuirthear Alasdar uaibhreach
i gcriaidh mar gach n-aon oile,
an chraobh do chriaidh chumhraidhe.

4   D'éis a adhlaicthe, más fhíor,
tigid ar uaigh an airdríogh
(do-gheabhthar leam a labhra)
ceathrar dob fhearr n-ealadhna.

5　　Gé tá aniogh gan neach fán ghréin,
　　do bhí ané, ar duine dhíbhséin,
　　níor dhual gan adhradh don fhior—
　　sluagh an talmhan 'na thimchiol.

6　　Gan aige aniú, ar neach oile,
　　acht seacht dtroighthe talmhaidhe ;
　　'sdo bhí an chruinne ché gan chleith
　　ané uile ar a éinbhreith.

7　　'Na mharcach ar talmhain tigh
　　do bhí, ar fáidh dona fáidhibh ;
　　trom do luigh a huille air,
　　an chruinne ar mhuin a marcaigh.

8　　Rí an bheatha le mbronntaoi ór,
　　do ráidh neach dhíobh tré dhobrón,
　　maraidh an t-ór 'na ionadh,
　　glór le bhfaghair foillsioghadh.

THE TEACHINGS OF CORMAC
Fearghal Óg Mhac an Bhaird .cc.

1   Cormac mór mhac Airt Éinfhir,
dó do chreid Clár righÉibhir,
ós Bhanbha do bhí treimhsi,
rí tarla 'sna tréidhibhsi.

2   Téid a mhac, níor mheisdi a ghníomh,
lá d'agallaimh an airdríogh ;
fuair sgríbheann ar Chlár gCriomhthain,
lámh dob fhírfhearr d'Éireannchaibh.

3   Caidhe, a Chormaic Chláir Eachaidh
(ar Cairbre lonn Lifeachair,
cneas seang budh tréine ar gach tír),
na tréidhe is fhearr ag airdrígh ?

4   Ré Cairbre do chan Cormac :
a chúl fiar na bhfochanshlat,
dol dot fhreagra ní leasg leam,
freagra do cheasd ní cheilfeam.

5   Do thréidhibh ríogh, a rosg dil,
foisdine ré bhfeirg n-uaibhrigh,
gnúis náir budh caithmhighe ar crodh—
do ráidh caithbhile Cruachan.

6   Dála an ríogh, a rún aireach,
dlighidh bhós bheith trócaireach,
briathra an ríogh tré cheart gcomhráidh,
'san reacht ríogh do rochongbháil.

7   Dlighidh fós flaith na Banbha
bheith urusa n-agallmha,
a chúl fann órnocht iodhan,
'sgan mórdhacht ann d'airiughadh.

8   Gan rún bréige tré bhioth síor
gan imreasain, gan eissíodh,
do dhlighfeadh triath Banbha Breagh,
a sgiath cabhra na gcóigeadh.

9   A mbráighde do bheith i ngioll
toirbhearta d'fhearaibh Éireann,
d'fhiachaibh ríogh fionnTolcha Fáil,
a ghríobh iontoghtha Iomgháin.

10   Dlighidh gach airdrí iodhan
neimhidh Éireann d'áitiughadh,
a rosg raghlan go ngné nglais,
is adhradh Dé tré dhíoghrais.

THE CHILD BORN IN PRISON

Gofraidh Fionn Ó Dálaigh .cc. circ. 1360

1   Bean torrach, fa tuar broide,
do bhí i bpríosún pheannaide,
bearar dho chead Dé na ndúl,
lé leanabh beag sa bhríosún.

2   Ar n-a bhreith do bhí an macámh
ag fás mar gach bhfochlocán,
dá fhiadhnaibh mar budh eadh dhún,
seal do bhliadhnaibh sa bhríosún.

3   An inghean d'fhagháil bhroide—
meanma an leinbh níor lughaide,
sí dhá réir gé dho bhaoi i mbroid,
mar mhnaoi gan phéin gan pheannaid.

4   Do shoillse an laoi níor léir dhóibh
acht a bhfaicdís—fáth dobróin !—
do dhruim iodhan an achaidh
tré ionadh thuill tarathair.

5   Mun n-orchra níorbh ionann dál
       dá mháthair is don mhacámh ;
       do aithrigh dealbh dá dreich gil
       is an leanbh ag breith bhisigh.

6   An leanbh dá oileamhain ann
       dob fheirrde aige a fhulang,
       níor léir don bharrthais óg úr
       nárbh fhód Parrthais an príosún.

7   Seisean ag breith ruag reabhraidh,
       sise ag dul i ndoimheanmain ;
       mairg, thrá, nach tiobhradh dá aoidh
       ionnramh na mná 'sa macaoimh.

8   Ar bhfaicsin déar ré dreich ngil,
       ráidhis an leanbh lá éigin :
       ó tharla a fhuidheall ar mh'óidh,
       cluineam damhna do dhobróin.

9   Neimhiongnadh gé dho-neinn maoith,
       ar sise, a leinibh lánbhaoith ;
       is rian cumhang nár dhleacht dún,
       teacht d'fhulang pian i bpríosún.

10 An bhfuil, ar sé, sódh eile,
   is aoibhne ná ar n-innmhine,
   nó an bhfuil ní as soillse ná so,
   ó dho-ní an toirse tromsa ?

11 Dar linn, ar an leanabh óg,
   gé taoi brónach, a bheanód,
   is léir dhúin ar ndíol soillse,
   ná bíodh ar th'úidh attuirse.

12 A n-abrae ní hióngnadh dheit,
   ar an inghean, a óigmheic ;
   dáigh treibhe an teagh do thoghais—
   treabh eile ní fhacadhais.

13 Dá bhfaictheá a bhfacaidh meise,
   ré dteacht don treibh dhoircheisi,
   do bhiadh doimheanma ort ann,
   do phort oileamhna, a anam.

14 Ós agadsa is fhearr a dhearbh,
   a inghean, ar an t-óigleanbh,
   ná ceil foirn fionnachtain de,
   do mhoirn d'iomarcaidh oirne.

15   Loise an tsaoghail mhóir amuigh,
is eadh tháirreas ó thosaigh ;
mé i dtigh dhorcha 'na dheaghaidh,
a fhir chomtha, is cinneamhain.

16   Le cleachtadh deacrachta dhe,
'snach fuair sé sódh is aoibhne,
níor cheis a ghruadh ghríosúr ghlan
ar an bpríosún bhfuar bhfolamh.

17   Baramhail do-bearthar dún—
an dream do bhí sa bhríosún :
lucht an bheatha cé an cúpla,
a ré is beatha bhríosúnta.

18   Ag féachain meadhrach Mheic Dé,
flaitheas aga bhfuil buainré,
cúis bhróin beatha gach dúnaidh,
slóigh an bheatha is bríosúnaigh.

A FATHER'S LAMENT

Ó Maoil Chiaráin .cc.

1   Mo chalann atá gan treóir,
    atá mh'anam isan uaigh;
    rem aonmhac ní fhoil mo shúil,
      caolbhrat d'úir ghloin ara ghruaidh.

[my body is without strength, my soul is in the grave, no hope I have for my only son, a thin covering of fresh earth is on his cheek.]

2   Gol a mháthar tar moir móir,
    'na thoigh atáthar gan treóir;
    foghar ghuil mhianaigh Í Mhaoil
      faoidh an luin ag iarraidh eóin.

[beyond a great sea, in her household there is no vigour, the sound of yearning & weeping for is like paint of blackbird seeking his young one.]

3   Do-rinne dom chroidhe crú,
    sinne ionar loighe dá ló;
    teagh úire giodh aige atá
      faide an lá dhúinne ioná dhó.

[my heart has turned to blood, prostate since longer is the clay for us then for him.]

4   Mo sheise tar an moir móir,
    is meise dom thoigh ón tráigh;
    dob é an t-anadh aimhghlic uaim
      sgaradh ré a ghruaidh mbaillbhric mbáin.

[companion shore fair freckled cheek.]

5   Ránag Magh Fáil fá bhfuil tonn,
    mo dháil tar an muir is mall ;
  truagh mo thadhall san bhfiadh bhfionn,
    dar liom do bhiadh m'anam ann.

6   Ní mhair Fearchar go bhfolt nua,
    ina thocht do mheallfadh mná ;
  do-chuaidh ar bhfear duasach dhó,
    ní ag cnuasach bó im' theagh atá.

7   Ní thig neach anoir ná aniar
    dom thoigh re heach ná re hór ;
  teagaimh gach fear dána dhún
    acht an geal úr málla mór.

8   A lucht do mharbh an ngéig nglain
    is do léig fán arm a fhuil,
  níor cháin an fear, níor aor ibh,
    níor libh a thaobh geal do ghuin.

9   Seanmóir cháich ní théid fám thuinn,
    trésan ngéig ngealmhóir mbláith mbinn :
  cách uile dá gcrádh má gcloinn—
    gá poinn do dhuine a rádh rinn ?

IN PRAISE OF LOCH ERNE

Tadhg Óg Ó Huiginn cc., circ. 1430

1 Muighi leathna ar lár an tíri,
   talamh is taosga i dtig luibh ;
   snáithi feadh bhfionnchorr 'ga bhfalach
   tiomcholl Fhear Manach amuigh.

2 Tulcha áilli a fhearainn dúthchais
   díbh is fhoide adhras dearc ;
   sdíom locha ar colbha na críchi,
   srotha gorma tríthi ac teacht.

3 Doiri long ar lár na hÉirni,
   'ga fhaigsin ní hiongnadh lúdh ;
   tolcha uaine ar a dhá himeal,
   orrtha is buaine silleadh súl.

4 Tig in t-éigni ó inbhior Luimnigh
   go Loch Éirni na n-iath nglas ;
   síos go froighidh Thuinni Tuaighi,
   moidhidh buinne uaine as.

5 Canaid éanlaith in fhuinn ghrianaigh
   gotha millsi a m [1]
iomdha fa Loch n-ealach nÉirni
   tealach fán moch éirghi eóin.

6 Éisdeacht re héanlaith in chalaidh—
   coiscidh neach do nighi a bhas ;
gáir binn 'ga ealaibh ag éirghe,
   Leamhain inn is Éirni as.

7 Fa meinic leó i laithibh sealga
   re slios Éirni na n-éan mbinn
siobhal ón choilli go chéili,
   ionadh coinne Féine Finn.

8 Caladh leathan Locha hÉirni,
   imli an tíri atá ré shlios,
iomdha síodh os cionn an chalaidh
   i mbíodh Fionn adhaigh gan fhios.

9 Lán d'éignibh a haibhni fionna,
   fonn is tighi toradh géag ;
do thogh in Fhian tar gach n-oirrshliabh
   Sliabh dá Chon i ngoirmFhiadh Gréag.

---

[1] *Read* gotha millsi i maidin reóidh 'sweet calls on a rimy morn'.
See Celtica i 302, *and addendum below to* p. 97.

THE LION AND THE FOX

Tadhg Dall Ó Huiginn .cc., circ. 1588

1 An feasach dhó dála an leómhain,
　　lá dár fhóbair aindligheadh ?
　níor geineadh neach ré mbí a bhuidhe,
　　rí na n-uile ainmhidheadh.

2 Goiris 'na cheann ceathra an talmhan,
　　tiad chuige don chéidiarraidh ;
　dob iomdha fan gcuireadh gcuanach
　　buidhean uallach éigciallaidh.

3 Ní tháinig fa thús an chuiridh
　　ceann an chineóil shionnchamhail,
　anais amuigh uaidh fan aimsin
　　go bhfuair aimsir iomchubhaidh.

4 Tiad na sionnaigh san séad chéadna
　　chuige arís ar éinshlighidh—
　righe riú níor chóir 'na gceardaibh-
　　'na mbróin chealgaigh chéimrighin.

5   Ar ndul d'amharc uamha an leómhain
     don lucht nár líon coinghleaca,
   líonaid siad d'uamhan a n-anmann,
     sluaghadh anbhfann oirmheata.

6   An céidshionnach do-chuaidh aca
     gusan uaimh mbric mbéalaolta,
   do ráidh riú i n-imeal na huamha
     filleadh uadha d'éanaonta.

7   Do-chím eang an uile cheathra
     chuige so go solusda,
   'sní uil, ar sé, eang gá fhágbháil,
     a dhream ágnáir fhorusda.

8   Dá ndeachmaoisne san dún chéadna,
     ar ceann na slógh sithchealgach
   ní foighthe ar lorg ar gcúl choidhche
     ón mhúr fhoirbhthe ilcheardach.

THE FOLLY OF WISDOM

Eochaidh Ó Heódhusa *.cc.* circ. 1590

1   Tríocha feallsumh fada ó shoin,
     tallód i dtosuigh dhomhain,
     do shir diamhair néall nimhe,
     ar séan d'iarraidh fháisdine.

2   Do-chíthear dhóibh dá dhruim soin
     éinchioth uaithmhéalta d'fhearthoin—
     ceadh acht tuile gan tarbha ?—
     feadh na cruinne ceathardha.

3   Tarfás dóibh, diamhair an fios,
     a mbeith gan chéill gan chuibhdhios
     re hucht an cheatha do chur—
     lucht an bheatha dá mbeanfadh.

4   Tiaghaid an tríocha feallsumh,
     i ndóigh cháigh dá gcreideamhsan,
     ré sgéalaibh dá chur i gcéill,
     ar sgur d'fhéaghain an aiéir.

5   Do hinniseadh leó an lásoin
     a mhéad d'ulc is d'uathbhásaibh—
     damhna caoi don uile fhear—
     do bhaoi don chruinne i gcinneadh.

6   Adubhairt an drong chéadna :
     fearfaidhear frais uaithmhéalda
     fán mbioth do choimhfhliuchadh cháigh
     do chioth fhoirleathan anbháil.

7   Do ráidhsead d'aitheasg éinfhir :
     ní bhia acht óinmhid éigéillidh
     i nduine ar bioth dhá mbeanfa
     an cioth buile buaidheartha.

8   A shluagh an domhuin, déanaidh
     uamha doimhne i ndroibhéaluibh
     (ar lucht eagna an bheatha bhí),
     ar eagla an cheatha ad-chluintí.

9   Ní chreideadh duine ar domhan
     fáisdine na bhfeallsamhan ;
     dream dreachbhoiggeal dar chóir cion,
     neamhchroideamh dhóibh níor dligheadh.

10   Mar nár chreid cách a gcomhrádh,
     rug an bhuidhean bhriatharnár
     céim luath dá bhfírdhídean féin
     fá bhruach ndínlíggeal ndroibhéil.

11 Níor bhfada dhóibh 'na dheaghuidh
   ón chioth gháibhtheach ghráineamhuil,
   ní mór do-chóidh seacha sin,
   slóigh an bheatha gur bhuaidhir.

12 Tar éis an cheatha do chur,
   táinig an tríocha feallsumh
   a huaimh dhorcha na gclach gcuir
   amach ar dhromchla an domhuin.

13 Dob é iomthús bhfear ndomhuin
   fuaradar na feallsomhuin—
   níor thuig duine iad idir,
   siad uile 'na n-óinmhidibh.

14 Gidh eadh, do chuir cách i gcéill
   don bhuidhin ughdar ainnséin
   (dream dhreichmhíolla na ngníomh nglan)
   neimhchríonna dhíobh go ndearnadh.

15 Déanaimne aimhghlic amhuil
   sinn féin, ar na feallsamhain,
   beag díol na cruinne dar gcéill,
   ná bíom 'san uile acht d'éinmhéin.

16 Dá ndéanamh féin mar gach fear,
   dob é a gcríoch dul fá dheireadh—
   tuigsi an bheatha mar do bháidh—
   fá uisge an cheatha i gcéadáir.

THE COMING OF LUGH

Gofraidh Fionn Ó Dálaigh .cc. circ. 1357

1   Tadhbhás do Lugh, leannán Teamhra,
        thoir i nEamhain,
    dá ránaig sé ar súr gach domhain
            Múr Té, Teamhair.

2   Dúnta an chathair ar chionn Logha,
            laoch ro thoghsom ;
    téid gusan múr sleamhain slioschorr,
            beanaidh boschrann.

3   Ar an doirseóir ris an deaghlaoch,
            fá doirbh ruaigfhearg :
    cáit as a dtig an fear áith ógard
            bláith geal gruaiddearg.

4   Ris an doirseóir
    adubhairt Lugh, nár loc iomghuin :
    file meise a hEamhain Abhlaigh
            ealaigh iobhraigh.

An earned thing said doorguard of Tara.

5 Nocha dlighi, ar doirseóir Teamhra,
A hard coming to the noble house
    tocht diar ndaighthigh ;
it is fer a man of that craft into stone fort.
atá fear réd cheird san chathraigh,
    a dheirg dhaithghil.
oh red bright-coloured one.

In Meadcourt house

6 Teach Miodhchuarta ag Macaibh Eithleann
    um an amsoin, *back then*
the curved bright white's property
tréidhe an tighe fheactha fhinnsin
must be told the messenger
    teactha tharrsaibh.

Because of
7 Do thréidhibh Thighe Miodhchuarta,
it's a full enclosure
    is min críochbhuird,
well
we are not 2 of us learned in the same
nach leigthear dís inn re haoincheird,
craft
    a fhinn fhíochbhuirb.
oh white one fierce in war

So many crafts are with
8 D'iomad ceard ag Tuaith Dé Danann,
distributers of cloats
you need an art that there
    dháileas bruta, *CS*
ceird ar nach fuil aithne aca *uaim.*
or use te caithfe chuca.
chéana
CS. channíocht
bruta, aca, chuca

is there a craftsman
9 Is dum cheardaibh, *bá house in which the camp is.*
ná ceil is tigh i dtá an bhuidhean,
clap on a but ptr without *uaithne*
léim ar bhailg is gan a bloghadh,
it breaking
    tairg dá thuireamh.
an offer for his recaunting.

10 Snámh ós éidtreóir, *over weakness*
iomchor dabhcha ar drummaibh uilleann *carrying a vat on the back of arm*
atá dhá cheird ar mo chumhang, *are 2 arts in my capacity*

      eirg dá fhuighioll. *he says for his declaration*

11 Atá sonn d'iomurcaidh orra *It is here in excess beyond them*
an uiread tuirmhim, *the fresh telling*
'sní fhuil ina gceird mo choimhghrinn, *& not knawn in the arts my preceptive onu*

      ní d'fheirg fhuighlim. *nor an angry declaration*

12 Ar gcluinsin ar chan an macaomh, *On hearing the young noble said*
mór a thairmséin, *great of fame.*
d'agallaimh Thuath Dé don doirseóir, *conversing ... to proclaim it*

      luath é ainnséin. *his haste was great.*

13 Fear san doras, ar an doirseóir. *A mans in the dooway*
rén doirbh coimmeas. *who has no match*
an uile cheard ar a chommus, *All of the arts are in his pover*

      an dearg doinndeas. *red brown & comely*

14 Dámadh é Lugh, leannán Fódla *If it were*
na bhfonn sríobhfhann, *slow streams sang*
do bheith ann, ar Tuath Dé Danann, *that was there.*

      dob é a ionam. *in't am / time for him.*

15 Geall n-éagaisg ón fhior san doras
　　　　　damhna leisgi,
　nocha ndearnadh d'úir ná d'uisgi
　　　　　dúil dán dleisdi.

16 A thaobh, a aghaidh, a earla,
　　　　　eochair thogha,
　triar ar snuadh aoil agus umha,
　　　　　agus fhola.

17 Binni a theanga
　'ná téada meannchrot 'ga míndeilbh,
　ón sádhail suan,
　i lámhaibh suadh agá sírsheinm.

18 Issé sin, ar sluagh na cathrach,
　　　　　ar gceann báidhe,
　aonmhac Eithni,
　saorshlat ar nach beirthi báire.

19 Brosdaighthear, ar Tuath Dé Danann,
　　　　　doirseóir Teamhra,
　d'ionnsoighidh na craoibhe cubhra,
　　　　　aoighe Eamhna.

20 Mása thú an tIoldánach oirrdhearc
　　　　　an airm ghlaisghéir,
　is mo chean duid, ar an doirseóir,
　　　　　a bhuig bhaisréidh.

21 Tair san dúnadh, ol an doirseóir,
                    Dia do bheatha ;
    ac, ná hosluig,
    ar an tslat lér cosnaid creacha.

22 Teamhair Airt, go héirghi gréine,
                    geis don dúnadh
    oslugadh an dúin do dhéanamh
                    arná dhúnadh.

23 Níor mhill geasa
    ghrianáin Teamhra an teaghlaigh
                            airmdheirg ;
    tug céim ar gcúl,
    rug léim isan mhúr don mhaighleirg.

24 Ní bhrisfeadh ar bhailg ós abhainn,
                    d'aighthibh ógbhonn,
    léim áith éadtrom
    a dhá dhéagbhonn réidh mbláith
                            mbrógdhonn.

25 Mar sin táinig go Teagh Miodhchuart
                    na múr ngreadhnach,
    dár fhóir a fholt gleannach gabhlach
                    teallach Teamhrach.

A STORY FROM THE TÁIN

Seaán mhac Ruaidhrí Óig Í Uiginn .cc., circ. 1566

1 Cuilleann ceard airdríogh Uladh,
   fleadh aige arna hollmhughadh—
   rí 'na aimsir nárbh ónda—
   do bhí an t-aimsin ionóla.

2 Téid airdrí Eamhna Macha
   cheithre chaogad ionchatha,
   ar cuireadh le Cuilleann Ceard,
   an bhuidhean mhuingfhionn mhaoithdearg.

3 Cú Chulainn na gcleas ngoile
   leanais lorg na heachruidhe,
   rug aithne ar thóir na tána
   um nóin d'aithle a iomána.
                          báthadh .

4 Cú neimhe lé gcuirthi cath,
   do sgaoileadh í dá hiallach
   mun muingfhionn do dhearg dumhaidh
   le Cuilleann ceard Chonchubhair,

5 Do-chí chuige an gcoin neimhe,
   dob fháth déanta deithbhire,
   níor ghníomh nárbh fhoirbhthe a hoidhidh,
   san oidhche dá ionnsoighidh.

6 An chú confadhach neimhe
   marbhthar le mac Deichtine—
   ionshluaghaidh a cháil don Choin—
   dá láimh iolbhuadhaigh éachtaigh.

7 Do-bhéar uaim éaraic do chon,
   ar daltán Dúna Dealgan,
   a Chuillinn gan teann dtabhaigh
   uirrim is fearr fuarabhair.

8 Is í éaraic luaidhtear leam
   d'fhagháil im' choin, ar Cuilleann ;
   tú do dhéanaimh a ndearna,
   cú ar fhéaghain dob infheadhma.

9 Cú Chulainn, do chorcradh ga,
   i n-ionadh chon an chearda
   gurbh inghníomha clann na con,
   barr imshníomha fán adhbhar.

10   Do hoileadh ag Cuilleann Ceard
an cú 'gar mheinic móirshealg ;
guais ar gach uillinn d'Fhiadh Bhreagh
ó Shliabh Cuillinn do chuireadh.

11   Ní bhíodh ó chleasradh na con
thoir ná thiar ar fhud Uladh—
cú fíocha nár fhéag d'omhan—
tríocha céad gan chuardughadh.

A STORY ABOUT HERCULES

anon.

1   Do bhí óigmhílidh gníomh nglonn,
     más fhíor d'eólchaibh, dá altrom,
     nár thim céidchéim i gcliathaigh,
     sa GhréigThéibh fhinn óirsgiathaigh.

2   Laoch gníomhfhoirbhthe go n-aois óig
     dárbh ainm Earcoil mhac Ióib,
     lámh lagtha fhlaithmhíleadh dtréan,
     dalta's caithghnímhfhear Croidhéan.

3   Seólais gaoth ar sníomh a seóil
     lá don Téibh i gceann Croidheóin
     luing tar sál go séadaibh buaidh,
     fá lán éadaigh dhuinn daorluaigh.

4   Sloinn dúinn, a fhir an éadaigh,
     ar triath an fhuinn fhailmghéagaigh,
     cia an luibh dá ndearnadh an dath
     'na bhfuil an dealradh díomsach ?

5 Ní luibh dár fhás a húir ghloin,
   ní bláth dár fhás ar fhiodhbhaidh,
   do chuir, ar sé, dúinne an dath,
   acht gné chlúimhe na gcaorach.

6 Oiléan na gcaorach gcorcra
   is ainm don chrích caomhanta
   na gcaorach bhfíthe ar a bhfuil
   an caondath síthe sochruidh.

7 A gcomhthrom do chur i meidh
   d'ór dhearg nó a mheas do mhaoinibh,
   fíorbhun a bhfiach, soiréidh sin,
   do thriath an oiléin áirmhigh.

8 Ceist agam ort, ar Earcoil,
   cia triath an fhuinn iongantaigh,
   'san treóid dathghloin go ndaoire,
   nach aghthair gan iolmhaoine ?

9 Mac ríogh na ríoghbhuille a ndeas,
   dan hainm fíre Fiol-óiseas,
   urra an treóid fhíthe dh'aire,
   'sna críche, ar an ceannaighe.

10 A fhios damh cionnus do-chuaidh
  i seilbh na críche an chéaduair,
  an dtiubhra an tí dar sealbh sin,
  nó nar sealbh í dá aithribh?

11 Ar neart lámh, ar chruas gcroidhe,
  do bhean sé dá sealbhaighe
  crích bhfíthe na séad seanda,
  'san tréad síthe suaigheanda.

12 Muna bhfuil acht ceart chloidhimh
  aige ar an dtír dtiormmoighigh,
  cairt ar n-airmne ní fhuighthear,
  cairt bhus daingne deachtuighthear.

13 Lucht luinge d'armghasraidh óig
  gluaisis Earcoil mhac Ióib
  ó Théibh na ndroibhéal ndrúichtfhliuch
  gusan oiléan aolchúirteach.

14 Draig duaibhseach d'fhine Fomra,
  go ndeilbh nduaibhsigh n-allmhurdha,
  mairg tarla i gcliathghoil 'na cheann,
  tarla fán iathmhoigh d'Eirceall.

15 Ag airdrígh gasda an ghormfhuinn,
   re haghaidh an anfhorluinn,
   do bhí tréinniadh na ngníomh nglonn,
   ar nár dhíon d'éinfhiadh eachtronn.

16 Cia tú, a óigfhir na n-arm dtrom ?
   nó an tú, ar an fomhóir fíochlonn,
   a thuir na sgiath n-arsaidh n-óir,
   is triath don ghasraidh ghlanshlóigh ?

17 Ní do sheanchus dod ghnúis ghairbh
   do ghluais mé, ar mac meic Sádairn,
   do bhéin do bhrághad dá bun
   tánag ó Théibh na dtorchur.

18 Gluaisid i gceann a chéile,
   gá hamus dob aighmhéile
   don dá dhraig confaidh chatha,
   don dá onchoin fhaobhracha ?

19 Gá dtám ? acht níor fhill Arcail
   ón draig dhuaibhsigh dhíoghaltaigh
   a bhás 'na chaithréim gur chuir
   gan spás do chaithréim chonfuidh.

20 Gabhais caithmhílidh ghuirt Ghréag,
    fa a mbídís ríoghna ag roiéad,
    sgoith ghiall an oirir insigh
    ar n-oidhidh an aithighsin.

21 Tug Fiol-óiseas, airdrí an fhuinn,
    ag sin díbh críoch a chomhluinn,
    an láimh neartmhair mbáin mbarrghloin
    i láim Earcail órarmaigh.

22 Sealbh an fhuinn fá tiogh treasa
    fógrais an Fiol-óiseassa
    don ré láin ghéagnuaidhe ghloin,
    láimh nár éagruaidhe i n-iorghoil.

DEMONSTRATION

anon., circ. 1560

1˙ Ollamh Chormaic, triath Teamhra,
  is Cormac na gcliar n-iomdha,
cás nachar chóir do labhra
  tarla ar bhfás dóibh 'na dhiomdha.

2 Ceart ón ríghsin 'gá raibhe
  níor gheabh Fítheal an file,
diongna a thoil do thír oile,
  gur shín roimhe ó mhoigh Mhidhe.

3 Ollamh Fhuinn Tuathail triallaidh
  go Cruachain an fhuinn fhéaraigh ;
sé dá gach aon is uamhain,
  ra taom uabhair é ar fhéaghain.

4 Mac Airt Éinfhir dá bhféachadh,
  lais 'na éagmhais dob uathadh ;
rí ó bhfuair gach dámh dítheal,
  Fítheal uaidh i gClár Chruachan.

5 Cairbre oighir Chraoi Connla,
    níor fhoiligh a mhaoith meanma
ceól ná fíon bhile Banbha,
    damhna ríogh Thighe Teamhra.

6 Lán do bhrón é fá fhilidh,
    fáth a bhróin i gcéill cuiridh,
ua Cuinn fa hordhraic n-oinigh,
    oighir Cormaic Fhuinn Fhuinidh.

7 Cairbre an uairsin siar sínidh
    go hiath Cruachan 'na chéimibh,
móid níor chongaibh ré cliaraibh,
    d'iarraidh ollaimh Fhóid Éibhir.

8 Beiris beó tráth gan toirneamh—
    na heó gan fháth níor haingheadh—
dá bhreac bruaigh na leac linnmhear
    fuair ar inbhear breac mbaillgheal.

9 Cuagh ar tús do lacht líonaidh
    an chnú do chnuas Mhac Mílidh,
fear nár fhuar croidhe um chliaraibh,
    iarraidh cuagh oile d'fhírshreibh.

10 Breac beó in gach cuagh cuiridh,
    beó na mbreac nár bhuan gcomhair
tug go fuar ar dáimh dhoiligh,
    soighin gráidh fa tuar toraidh.

11 Níorbh fhada beó an bhric chorcra,
     ar a bheó astigh ní teachta,
   sé ar n-a chládh san chuagh lachta,
     dalta trágh n-uar dá eachtra.

12 Eó an chuaigh uisge ar a n-aghaidh,
     dár dhual uisge gach oirir,
   an t-eó nár mhall tré mharaibh
     maraidh beó ann gan oidhidh.

13 Crann phailme d'fhiodh an einigh,
     Cairbre an crann fa tiogh dtaraidh—
   fada ruinn rann a chinidh—
     re filidh chlann gCuinn canaidh :

14 Ó thréigeas duine a dhúthaigh,
     tuig ar n-éigean, a Fhíthil,
   do réir an dá eó ar fhéachain,
     féachaidh féin nach beó bíthir,

15 Ceann na dtromdhámh soir sínidh
     do mhoin an chomhráidh chéillidh,
   d'fhios fhine Cuinn ré chliaraibh
     triallaidh file Fhuinn Éibhir.

TOKENS OF A RIGHTFUL PRINCE

Cú Choigcríche mhac Mheic Con Í Chléirigh .cc.

1 Teachta an anma fhuaraissi,
    abhla feactha is fiarcholla ;
eatha is eóin dot fhógrasa,
    neóill ghartha agus grianshrotha ;
na héigsi is dot fháidhibhsi,
    na cléirche, na cliarsgola ;
a snaidhm feasda fóirfixsi,
    gur mheala th'ainm iarlochta !

2 Tír fán méathbhog maighreadha
    an mhín fhéarach fhinnghealsa,
tolg dá cleathaibh ceannchroma,
    donn sleamhain a slimleachta ;
toradh a tonn dturchurtha,
    dá gcorthar chum cinnteachta,
ar iarlacht níorbh iontugtha
    iasgach bhar n-inbhearsa.

3 Súr críoch na slios síodhamhail
    is díon d'fhior ar fhiabhrasaibh ;
gach leath fa cliabh caoilfhiodhach
    meas is iasg do iadhasdair ;
abhla sa gcinn cnócharsaidh
    ᴦe linn anma an iarlasoin.

4 Droighne dreasa daoldatha,
   geala a droimne a díthreibhe,
maise a gleann 'sa grianfhoithre,
   taise a learg 'sa líghile
gach leath don fhód Éirnisi—
   mo chean dá ró an ríghisi !
géaga go gcnuas gcróchbhuidhe
   téagar cruach do chríchisi.

5 Daimh ar cúlaibh caomhoirir
   ag búirigh ar báinseachaibh ;
gotha cinn re caolshrothaibh
   d'fhoghar binn ag báinealtoin ;
searbh fuaim crot ó chiarlonaibh
   fa bhruachaibh port páircshleamhain ;
faoidh eóin an fhuinn Éirnisi
   ag buing ceóil do chláirseachaibh.

6 Gairgbheich ós a grianpháircibh
   a n-airceis ar fhianlaochaibh ;
dairghe ón mheas 'na maothánaibh ;
   breac sgairbhe fa sgiathtaobhaibh ;
dath fola ar na fáinriasgaibh,
   cna corcra ar na ciarchraobhaibh ;
tug nús eilte um iarnónaidh
   drúcht leirge 'na liathbhraonaibh.

CONFLICTING COUNSELS

Eochaidh Ó Heódhusa .cc.

1

Atám i gcás idir dhá chomhairle,
    gá cás is rodhoilghe ná an dál adirimne ?
guais teacht ó chríochbhun an dá chomhairle
    dá neart chomhaidhbhle dár síorchur dár
        slighidhne.

2

Dá chúis rom ghoin le diamhair ar
                        ndoimheanma :
    toil na hoileamhna ag iarraidh ar n-aradhna
ó fhairche ráthaigh ghartghloin gheilEamhna,
    gár máthair gheineamhna is mh'antoil
        anamhna.

3

Measaim triall le mearbhail ar mórchumhadh
    ó fhiadh na n-órchuladh, ó sheanmhaigh
        shíothMhumhan,
go hadhbhaidh mbuig sruithbhinn na
                        saorchuradh,
    is cuid dár saothrughadh ar nach cuirfinn
        críochnughadh.

4

Tuigim dá éis i n-aimsir ar dtriallaine
    go géis grianDoire ros faillsigh gach
        fáidhfhile,
is mé go haoinchéim ar ndul sa dréimire
    nár chéillidhe sgur re baoithréim ar
        mbáireine.

5

Anfad re cuma ar nduaine deiridhne,
    sunna ar neimhinnmhe, gá cruaidhe
        comhairle ?
mása truagh leó, gidh eadh, dá n-anaimne,
    ní raghaimne beó go sluagh mear Modhairne.

6

Ó chrích chaillghil na gcaladh síodhamhail
    dá n-anar san ríoMhumhain mhaighrigh
        mhíondoirigh—
gá dulc dhún ar sealadh go sírrighin ?
    dleaghar don ríghfhilidh súr gach síodhoirir—
an dara bliadhain ag triall a dtuaidheamhain
    ní bhiam ó shluaighfheadhain riaraigh ríogh-
        Oiligh.

7

Gér linn ón droing do ghnáth a nguaillidheacht
    do luaighidheacht tar cách, is roinn a
        ríoghadhart,
is luibh chabhra dhúin ar ar ndeóraidheacht
    ó cheóloireacht Ghabhra ar súil ré a
        síorradharc.

8

Dursan ar dtriall ó oirear fhionnDaoile
   na moigheadh ndionnaoidhe go fiadh fionn-
      Áine ;
giodh ionmhuin Clár sreathghlan seanDáire
   neamthal ar leannáinne fa dál diombáighe.

9

Uchán ! ar gcéimne ón talmhain thuaidh-
      eamhain,
   'só Éirne chuainealaigh challghloin chlaond-
      oirigh,
   'só fhréimh armruaidh rúnbhrais ríoghUidhir,
   'só shíodhaidhibh glanshluaigh shúlghlais
      shaorOiligh,
   'sóm Aodh féine, mo ghrádh tar Ghaoidhealaibh,
   is céile d'aoigheadhaibh 'sis fhál d'aoghairibh.

10

Is í ar ndáigh nach ba cian ar gcéilidhe
   ór gcéiline riamh amháin dá mhóirfhine,
ó Mhág Uidhir dá roiseam 'na ríobhaile,
   síodhaidhe boisseang ó bhruidhin ar
      mBóinnine.

11

Do-ghéabh i síthlios fhionn an Aodhasa,
   mo dhínchrios taobhasa, mo lionn lúdhasa—
is gan ar dtriall a hamharc an aoilleasa—
   radharc gach aoinfheasa san Fhiadh Únasa.

12

Budh mór saorchlann gan fhios dob inríoghtha,
  is fraochlann rinnlíomhtha tar slios na
    seanbhóchna,
budh iomdha mun mbéinne úr airmniamhtha
glainbhriathra cléire san dún dealbhórtha.

13

Budh iomdha ré moltaibh fáidh fán bhfionn-
    urlár,
  is gáir bhionnorghán ré hochtaibh imilmhéar,
is ceó doilbhthe ar gach leath don loinnearmhúr
  ó choimmearlúdh bhoirrthe each n-inginghéar.

14

Budh iomdha ag triall don ealtain éigsighil
  éigsfhilidh le a rian ón ghreanntoigh ghéag-
    sdaraigh ;
budh iomdha rithlearg áith le hógsgolaibh
  go ráith bhfódsgoraigh na n-ilcheard n-éag-
    samhail.

15

Budh iomdha sompla úr ar óireangaibh,
  is lúdh ag sróillearraibh corcra ós caoir-
    reannaibh ;
gáir ag seilg, bionngháir ag buabhallaibh,
  fán leirg nuabhallaigh lionnbháin laoidh-
    eangaigh.

16

Do-ghéabh róm gan fholta gan imreasain
   an slógh re finnshleasaibh corcra an
      chuirmlissin ;
budh díol teineadh don uallchath Eamhnasoin
   dealbhlasair bhuadhchlach bhleidheadh na
      bruidhnisin.

17

Do-ghéabh Aodh romham 'na ríoghshuidhe,
   síodhaidhe saor nach bloghann béalluighe,
ógbhaidh thréan arar truime gach aoinfhile—
   'sar bhfréamh Chraoidhine uime go héanduine.

18

Dá roicheam don bhrugh fhionnfhuar
      oireaghdha,
   budh diombuan ar ndoimheanma ar ndul san
      deaghadhbha ;
do-ghéabh san phurt mo ghaol geineamhna,
   is Aodh seinEamhna gona lucht leanamhna,
lámh lér sgaoileadh teagar gach tighearna,
   dreagan nach infheadhma re haoinfhear
      n-ealadhna.

19

Fuath na dreime ó raonchlár ríoBhóinne,
   baothghrádh fíoróighe seinge síodhshaoire,
fá nochtaid fialmhná a meanma mímhéine,
   grianlá ríghfhéine meardha míonDaoile.

20

Beithir Eamhna dár fuilngeadh fíorfhoghal
   ríoghobhal Teamhra na mbuidhneadh
   mbéinnemhear,
seabhac d'ealtain na gcoradh gcaolfhoghadh
   saoraghadh deargthair gan omhan n-éinfhil-
   eadh.

21

Mo chéile rúin, caomhthach gach comhaidhigh,
   ón saothrach ar sgoluidhibh Múir Muir-
   eadhaigh,
fear síorchuir óir ar ar n-ealadhain
   tar deaghfhalaibh an tslóigh fhíochmhuir
   fhuineadhaigh.

22

Mo chean fionnbharr na bhfeadh ndruid-
   fheactha,
   dá dtiobhram cuideachta re feadh bhfaid-
   eachtra,
'san learg neamhchruinn fionnghlan fadochta,
   mo chearchuill cadalta, ionnladh mh'aigeanta.

IN DEFENCE OF POESY

' dignum laude virum musa vetat mori '

Giolla Brighde Mhac Con Midhe .cc., circ. 1260

1   Moladh daoine is dó is moladh
     an neach do-ní a gcruthoghadh ;
     ní bhí ar domhan ag duine
     ní acht moladh a mhíorbhuile.

2   Gémadh bréag do bhiadh san duain,
     is bréag bhuan ar bhréig dhiombuain ;
     bréag uile gidh créad an chrodh,
     bréag an duine dá ndéantar.

3   Ní ba liaide ór ná each
     ag duine dámadh doichleach ;
     gan sbéis i nduain ar domhan
     dá mbuaibh ní ba buanughadh.

4   Dá mbáidhthí an dán, a dhaoine,
     gan seanchas, gan seanlaoidhe,
     go bráth, acht athair gach fhir,
     rachaidh cách gan a chluinsin.

5   Dá dtráigheadh an tobar fis,
     ní bhéarthaoi muna mbeimis,
     do dheighfhearaibh saora a sean,
     craobha geinealaigh Gaoidheal.

6 Do bhiadh a n-iarmairt fhoda
do mhíleadhaibh mórbhoga—
folach a sgéal ní sgrios beag—
gan fhios na bhfréamh ó bhfuilead.

7 Folach cliathach agus cath
fear nÉireann dobudh easbhach ;
dá n-éis gémadh maith a méin
gan sbéis i bhflaith ná i bhfírfhréimh.

8 Gé tá marbh mairidh Guaire
's Cú Chulainn na Craobhruaidhe ;
ón ló tá a nós thiar is thoir
atá fós Brian 'na bheathaidh.

9 Beó ó mhaireas a moladh
Conall agus Conchobhar ;
a nós 'na bheathaidh a bhus,
nocha deachaidh fós Fearghus.

10 Lugh do marbhadh le Mac Cuill,
ní mhaireann cnáimh 'na choluinn,
a nós, ar ndul don domhan,
fós do Lugh is leasoghadh.

11 Muna leasaighdís laoidhe
a ndearnsad, gér dheaghdhaoine,
i bhfad anonn do bhiadh brat
ar Niall, ar Chonn, ar Chormac.

12 Ríoghradh Chruachna is Chaisil Chuirc,
    na filidh fréamha a lubhghuirt,
    slata a teaghlach na dTrí mBrogh,
    Dá Thí Theamhrach is Tuathal.

13 Ní bhiadh muna mbeith an dán
    ag cruit théidbhinn ná ag tiompán
    fios deighfhir ar n-a dhola,
    ná a einigh ná a eangnamha

14 Fios a seanchais ná a saoire
    ní fhuighbhidís arddaoine ;
    léigidh so i ndán do dhéanaimh,
    nó no slán dá seinsgéalaibh.

15 Dá mbáidhthí seanchas chlann gCuinn,
    agus bhar nduana, a Dhomhnuill,
    clann bhar gconmhaor 's bhar gclann shaor
    ann dobudh comhdhaor comhshaor.

16 Fir Éireann, más é a rothol
    ionnarba na healathan,
    gach Gaoidheal budh gann a bhreath,
    gach saoirfhear ann budh aitheach.

NOTES

THE SHANNON

p. 21

This poem is the opening one of a little contention as to which part of Ireland the river Shannon properly belongs. It has already been published, together with a rejoinder by one Tadhg Óg Ó Huiginn, by Professor Bergin in the Irish Review, March 1913. I do not know the date of the poem. O'Reilly places the author *circa* 1600, but refers to no other composition by him. If that *floruit* is correct his opponent must be the son of the famous Tadhg Dall Ó Huiginn.

In the heading *.cc.* is the compendium for *cecinit*, corresponding to Irish *do chan* or *ro chan* (old Irish *ro chechain*).

Metre : *ae freislighe*

1 a This is an insinuation that the river belongs to the south.

b-c ' it is wonderful, considering the greatness of thy laughter, how thou dost desist from thy shouting.'

2 a *Bóroimhe*, whence King Brian was named, was on the west bank of the Shannon, near Killaloe.

2 *Ceann Coradh* (The Head of the Weir) ' Kincora,' Brian's fort at Killaloe.

3 a *dtéighi-si* ; short unstressed final -*i*, -*e* are not distinguished by the scribes. They had fallen together at this period, and probably both were represented by -*e*, in some districts, by -*i* in others. In verbal endings I have regularly printed -*i* before a slender augmenting suffix, as here.

b *Sliabh Iarainn*, Slieve Anierin, east of Loch Allen, Co. Leitrim ; ' hiding not the place whence thou goest.'

c 'sufficient is the speed with which thou goest,' i.e., most rapidly.

d Loch Ree, Loch Derg.

4 *Eas Danainne*, the falls of Doonass, between Limerick and Killaloe : ' the river, which above the falls is 300 yards wide and 40 feet deep, here pours its vast volume of water over large masses of rock extending upwards of a quarter of a mile along its course, and producing a succession of falls forming a grand and interesting spectacle.' Lewis's *Topographical Dict. of Ireland* ii 215.

c ' then it is thou lingerest' ; *ramhaille=maille (moille)* ' slowness ' with the intensive prefix *ra- (ro-).*

d *Luimneach* ' Limerick.'

5 b *Inis C.* Scattery Island, where St. Seanán's community was settled ; hence *port ar Seanáin-ne* ' the haven of our Seanán.' Here *Cathaigh* and *dheaghaidh* make an inferior kind of *amus.*

7 The *Leamhain* mentioned here may be the upper Erne, cf. p. 48 § 6. The other rivers mentioned are Boyne, Suir and Suck.

b-d *sriobhmall* and *Sionann* make perfect rime ; *bhm>m*, and intervocalic *m* ranks in the *bh* class.

AN INAUGURAL ODE

p. 23

Most inaugural odes run to fifty or sixty stanzas ; we are fortunate in having an example complete in three stanzas, illustrating practically all the characteristic features of this species of composition. The chief addressed is either the famous Brian na Múrtha who was executed in 1591, or his son Brian na Samhthach. O'Reilly, in his *Irish Writers*, distinguishes three poets named Fearghal Og Mhac an Bhaird, but an examination of his references shows that they can all be connected with one poet of that name who flourished between 1560 and 1620. He was a voluminous composer of simple, if not very distinguished verse. For other specimens of his work, and some biographical notes, see Irish Review 1914, Studies 1919, 72 ; 1920, 565 ; Irish Monthly 1920, 51, 207, 481 ; 1921, 372 ; 1923, 586.

Metre : *séadna.*

1 c *i gcrú c.* ' in an enclosure of slender spears,' i.e., in battle.

d *G. nGr.*, some of the legendary invaders of Ireland in prehistoric times are said to have come from Greece.

2 a *M.* son of Brian Bóroimhe, who fell fighting in the battle of Clontarf.

bradán ; the salmon is often used as a complimentary epithet. For a list of the commonest epithets in verse of this kind see Irish Texts Society, vol. xxii p. lii ff.

b *R. Té=Teamhair* ' Tara,' which is fabled to have taken its name from a princess called *Té.* Similarly *Múr Té*, p. 54.

c Niall, King of Ireland A.D. 831-44, is surnamed Caille by the historians because he was drowned in the river Callann, *nár éar* ' who never refused,' i.e., who was ever open-handed, bountiful.

3 a *Calraighe*, near Loch Gill, Co. Sligo, see p. 94, ll. 1-4.

c *Bearchán Propheta*, of Clonsast ; a saint who is credited with prophecies about many chieftans.

d *Banbha*, an old name of Ireland, frequently used in poetry.

GORMFHLAITH .CC.

p. 24

These pieces form part of a collection of poems attributed to Gormfhlaith, daughter of Flann Sionna, high-king of Ireland between 878 and 916. After the death of her third husband, Niall Glúndubh, high-king of Ireland, who fell fighting against the Northmen in 919, she is said to have lived in great poverty, ' forsaken of all her friends and allies, and glad to be relieved by her inferiours.' An edition and translation of the collection was published from the O'Gara MS. by Professor Bergin in *Miscellany presented to Kuno Meyer*, Halle 1912. The texts given above are based mainly on the copy in the National Library, Dublin, see Gadelica i 294. The Nat. Lib. copy justifies some emendations of the O'Gara text made by Professor Bergin in his edition, e.g., in ii 2 *a* for O'Gara's *dúaibhuicc* (emended to *dúasbhuicc*) Nat. Lib. has *dúaisbhuig*.

The metre of i is *óglắchas* of *rannaigheacht mhór*, that of ii *óglắchas* of *rannaigheacht bheag*.

i I b *do dhith N.* ' from the loss of Niall,' i.e., Niall Glúndubh.

2 d *Niall na Naoi nGiall*, N. of the Nine Hostages, high-king of Ireland, slain in 405 (Four M.).

3 b ' its end is to be utterly consumed,' ' it shall pass away.'

ii I a *Dún Chearmna*, an ancient fort on the Old Head of Kinsale, see Keat. Hist. ii p. 124.

b *Ráith T.*, Tara in Meath, said to have been the residence of the kings of Ireland in ancient times.

2 d Here Nat. Lib. has : gan mé acht air áitibh folmha.

3 a *rabhad*, pres. subj. pl. 3 of *atá* ; *na n-uathadh* ' deserted.' Nat. Lib. has : na nuaithí, with dot over the bar ; cf. Bergin, *l. c.*

b *Ráth C.*, Croghan Fort, Roscommon, another royal residence of bygone days. It is worth while drawing attention here to the declension of *Cruacha*, a name which in these days is constantly misspelt and misunderstood. At this period it is : nominative *Cruacha* (older probably *Cruachu*), acc. and dat. *Cruachain*, gen. *Cruachan* or *Cruachna*. In older documents it is sometimes found as a pl., e.g. *Táin Bó Fraich* 42. The word is frequently confused in modern publications with *Cruachán*, gen. *-áin* or *-án*, which enters into many placenames, e.g. *Cruachán Lighean*, a name of *Druim Lighean*, near Lifford.

c ' is not this warning enough for them ? '

WELCOME TIDINGS

p. 26

These stanzas were perhaps composed on receipt of a letter from Aodh Ó Domhnaill, the little son of Rudhraighe, brother of Aodh Ruadh. As the little Aodh was not quite a year old at the time of the Flight, the poem might then be dated the autumn of 1613. But Aodh the son of Cathbharr may be the one addressed. Cf. Studies 1919, 432, and see Rev. P. Walsh's *Flight of the Earls*, p. 18. The author, who belonged to the Donegal branch of a famous bardic kindred, was a thoughtful and graceful writer. His lament for O'Donnell and O'Neill is known to modern readers through Mangan's English adaptation. Other poems by him have been published by Prof. Bergin in Studies, 1919, 255, 438 ; 1921, 73. Amongst those to whom a commission to ascertain the boundaries of Tirconnell was issued, Nov. 26, 1603, was ' Owen Roe Mc Award of Kilbaron, Cronicler.' Pat. 2 James 1, lxxvii p. 47.

Metre : *deibhidhe.*

1 b ' many starts,' i.e. ' much (joyful) surprise did it arouse in me.' *Mór* is an old neuter, hence the eclipsis.

cd ' save us from another hurt, it is a revivifying of my spirit ' (the letter has cheered me ; let me not be again cast down). In verse the pl. pron. is commonly used for the sg. in the 1st and 2nd persons ; but the choice often depends upon metrical exigency.

2 b *Gort rígh-N.* 'the Field of royal Niall,' is a poetic name for Ireland, from Niall of the Nine Hostages (*Niall Naoighiallach*).

cd ' they would have a cause of delight when the letter was opened.'

3 b ' even were he not O'Donnell.'

cd ' he is worthy the greatest of love, may the Lord have care of him ! '

4 a *gá dám dhó-* ' in short' ; lit. ' what ails us, or why are we at him (or it).' *dám=dtám* eclipsed form of 1st pl. of *-tá.* As

a poetic license either *gá dám* or *gá dtám* may be used in this phrase, according as alliteration with *d-* or *t-* is required. When the 1st sg. is used we have *gá dú* or *gá dtú*. *Gá dám* (etc.) *ris* is also found.

d *rod-sgríobh* ' who wrote thee'; *d-* is infixed pron. sg. 2 ; a relic of Old Irish which occasionally appears even in the later syllabic verse.

THE LAMENT OF CRÉIDHE

p. 27

This little piece is somewhat out of character with the rest of the selections, and is possibly a little earlier than our superior chronological limit, but it illustrates a style of syllabic verse which is artistic in form without being too heavily trammelled with ornament, as some of the *dán díreach* metres tend to be, from the modern point of view. The metre is *rannaigheacht ghairid*, the variant of *rannaigheacht mhór* described on p. 14, but differs from strict *dán díreach* in freedom of arrangement. The poem belongs to the Ossianic cycle, and the manuscripts vary greatly in some lines. I have omitted a few stanzas of which I was unable to resolve on the correct version. There are a few textual difficulties in what I have retained, but on the whole these verses are plain. Editions of the poem have been published in *Acallam na Senórach* (edited by Stokes in Irische Texte iv and O'Grady in *Silva Gadelica*) and *Cath Fionntrágha* (edited by Meyer in Anecdota Oxoniensia). The text presented here is taken, as far as it goes, from the RIA MS 24 P 5, with occasional readings from Stokes.

In the story in *Acallam na Senórach* the verses are uttered by Créidhe, daughter of Cairbre, King of Ciarraighe Luachra (North Kerry), when mourning over the body of her husband, Caol, who was drowned while fighting in Cath Fionntrágha (the Battle of Ventry harbour). It is sufficient for the poetical sense if we take the lines on the grief of the birds and the stag as alluding to a fanciful extension of a personal sorrow, but in the story as given in *Cath Fionntrágha* pp. 53-4 the references are explained ; the mourning woman (there called Geilghéis) sees the peril of the birds and the mother grieving for them, and hears the stag moaning from hill to hill for his mate, whom Fionn has slain. Their sorrow becomes real to her through her own.

2 O'Grady renders this stanza : melodious is the crane in the marshlands of *druim dá thrén* ! tis she that may not save her brood alive (*lit.* that saves not her live ones) : the wild dog of two colours (i.e. the fox) is intent upon her nestlings. (Silva Gadelica ii 122. In his text and that of Stokes the reading in *d* is *coinfiadh dá lí*). I do not understand *luinche* ; cf. Thesaurus Palhib. ii 47, 421 ; and *luinicid corro crích Tethbo* Arch f. celt. Lex. iii 31o (=*Luindec cuirri* Zeits. f. celt. Phil. xii 361). Here *luinchidh corr* would be intelligible ; ' the crane laments,' but the nearest reading to this is *luinnceadh corr*, Cath Fionntrágha p. 55, which has an unreliable text. Possibly we should read *luinceach corr* ' plaintful is the crane.' I conjecture that *dá lí* is a place-name. Only one of the unstressed vowels is elided here ; elision of both would be regular in strict style.

Most of the places referred to are unidentifiable as yet, but they obviously belong to the west Kerry district.

3 *Druim Chaoin*, cf. Dromkeen townland, near Listowel.

7 c ' as for me, my day is done ' ; ' my time is spent.'

8 *ciothghal* ' a showering mist,' probably a reference to the foam and spray of the wave lashing against the shore.

In the first stanza *Bhárc* rimes with *trácht*, and there is *aicill* between *cuan* and *ruadh* ; *Chonn* and *tonn*. In 2 the *aicill* is missing in the first couplet, possibly through corruption of text. In 8 we have the same arrangement as in 1 ; *aicill* between *trom* and *tonn* ; *mhaoin* and *mhaoidh*. In 3-7 we have a different arrangement, and a very artistic one, end-rime between the first, second and fourth lines, and *aicill* between the third and fourth (*sgol* : *lon*). Alliteration is irregular. In § 4 the dissyllabic *Sileann* breaks the metre, but this is compensated by the *aicill* with *Díleann*.

SYMPATHY

p. 29

This beautiful little lyric is, like the last, a little earlier than our period, but it admirably illustrates the fact that the rules of *deibhidhe* are not fatal to emotional expression. Only in a few instances are the strictest requirements of the metre ignored. In 5 cd the rime *sódh* : *mó* is imperfect, in 8 c *gabhad* is unrimed (see note below), but the heaping of alliteration would compensate for this in early Middle Irish metrics.

This piece, like most of the gems of our early poetry, was first brought to light by Kuno Meyer, who published an edition and translation of it in the Gaelic Journal, vol. iv p. 42. In the present edition the text is to a certain extent normalized.

Metre : *deibhidhe*.

2 b I take *uaid* as *-uait*, but it could be for *uaidh* ; the sense is the same in either case, ' not long since.'

6 c *er in sás*, ' on (i.e. into) the trap.' The MS. has *eri sás* perhaps = *uirre sás*, though the intervention of the stressed word between two rimes would not be permitted in strict *dán díreach*. Cf. 8 cd. The rime *sin* : *buachail* would be permissible in early Mid. Ir.

8 cd ' though they are not endangered by wounding, not greater their slaughter by weapons.' Meyer renders : ' although they were not taken off by wound, not greater would have been their slaughter by arms.' But the last line seems corrupt.

A LOST LANDMARK

p. 31

The poet grieves for the disappearance of a whitethorn tree, once the conspicuous ornament of an assembly mound. The author was probably the Monaghan poet of this name who flourished towards the end of the 16th century, and was pardoned in 1601. The direct cause of the removal of the thorn is not clear. Possibly it had been removed by those in authority, on account

of its association with certain ceremonies, such as the crowning
of princes, or the one described *Irische Texte* iii 97. We have
nothing whereby to identify the hill referred to, but there are
several instances of a townland named Tullynaskeagh, which
might stand for *Tulach na sgeach* or *na sgiach* (as well as for
T. na sgiath). One of these is in Killany par., bar. of Farney,
Co. Monaghan, the poet's own district.

Metre : *rannuigheacht mhór.*

1 a *Mo chean* ' Hail ! ' The *mo* is not the possessive, and the
phrase seems to be a confusion of early Irish *fo chen* ' hail ' and
mad chin, also a congratulatory phrase, lit. ' happily sprung.' Cf.
mo ghéanor from *mad génar*, with similar meaning.

    duitsi : *thuisleadh*, perfect rime is not obligatory in the first
couplet, though there are instances of it, e.g. § 3 ab.

    b *sionn=sinn*

    c here *sgeach* is nom. sg. ; in § 5d, § 8d it is gen. sg. of the
synonymous *sgé*, which appears § 7c.

    d *cleath* is used of any kind of shaft, stem, tree-trunk ;
do-chíthe ' used to be seen ' ; both *-í* and *-e* (*-i*) appear in this-form
in the literary dialect; similarly the endings of the first and
third pl. imperf. may be long or short, according to metrical
exigency. Note that the vowel of *ós* is elided here ; *ós* and *as* are
confused in form in Early Mod. Irish MSS. and the vowel of the
former was probably shortened in some dialects.

2 a *na c.* ' of the clamour,' i.e. where there used to be shouting,
bustle.

    cd ' the shearing of the branch, my day of sorrow ! more
woeful is the plight of the country since.'

5 a *foghail* : As the scribes do not distinguish *-gh-* and *-dh-*
it is not clear whether this word is to be rendered ' spoiling,' or
' dividing ' (*fodhail*). The sense is fairly the same, however,
whichever we decide.

    b *doba* is either modal pret. (O. Ir. *ba*) or for cond. (*dobudh*) :
' which would have endured had it not been shattered,' i.e. would
not have decayed.

    c ' not a few did it shelter.'

6 b *má dol fa dhlaoi* 'for its blighting'; *má*=prep. *um*
(*imm*) + poss. Note that *dol* makes *amus* with *corcra*.

cd 'unhappy any who hath not pondered on the captivity
of God, seeing that I have been grieved over thy branch' : i.e.
since even this brought me sorrow we should do well to turn from
worldly solicitudes and seek solace in religion.

7 a 'our only prey,' i.e. the only thing of which we could be
bereft.

8 b *mon-uar* 'alas' : forms such as *monuar*, *aniú*, *arís*, *araon*, etc.,
in which the first syllable is atonic are usually divided according
to the alliterating letter required. Here we can read *mon-uar*
nach é. arís or *m. nach é. ar-ís.* Cf. § 9 b.

9 d 'bright hill which won (*or* betrayed) my love.'

REMEMBER THY CREATOR

p. 33

The author of these artistic stanzas is probably to be identified
with Maol Seachluinn (Maoil Eachluinn) na nUirsgéal O Huiginn,
who flourished in the early part of the 15th century. Like many
other religious poems of this period it may be based on a Latin
original, either in prose or verse.

Metre : *rionnaird.* Generally *r. trí n-ard*, but §§ 14, 16 are
in *r. cheithre n-ard.*

2 c 'where we may lay down our load.' The change from
sg. to pl., *agam*, *anam*, etc., as in this stanza is not uncommon.

3 c 'it is appointed for me.'

4 b 'if one wishes to fare far.' *ciana* 'far ; a distance.'

5 a 'What we say is fitting to them' ; *rú* refers to *fir* in c.

b 'it is not a step amongst pure ones.'

6 'To attain speedily to heaven is not easy, and for all that
people do not journey towards it at the time for a long journey'
(i.e. early in the day).

7 Construe *olc gan deibhthir*, etc., and take *d'fhagháil Dé d.* after *Dúilimh* : ' For a man at the end of his days it is ill not to have made haste towards the noble house of the Creator, to find God.'

8 a *asa ó.* ' from his earliest youth.'

   d *ag sin* may lenite its virtual object, see Irish Gramm. Tracts, Introd. (Suppl. to Eriu viii) § 128.

9 a *Do-bhéarad*, fut. pl. 3 of *do-bheir (tabhraim)* ; *sin* is the subj., referring to *gach aon* in 8 *a*.

   cd ' is it not then one enters into the graces of creative God ? ' recalling the Psalmist : ' a broken and a contrite heart Thou wilt not despise.' Cf. the poem published by Meyer in Eriu 6, 113. *trátsain* exemplifies the delenition of *t* by an *s* following.

10 c *filleadh* is here lenited as it is the object of the verb ; an archaic usage which is followed when metrically convenient, cf. 8 d.

11 cd ' sad is my state in the flesh if I do not escape from it safely.' *uadh* refers to *cur*.

12 c *an té* and *an tí* are both found in the classical language ; the *t* is treated as the initial, and makes alliteration, but it does not undergo mutation. The form *an tí* is, of course, a petrification of the O. Ir. nom. sg. masc. *in t-í* ; the form *an té*, regular in modern Irish, may be due to *cé (cia)*.

13 ab 'An ill cause for pride is a form which is but transitory.'

15 a *Taobh re*, ' depending on, trusting to.'

   b *abhus*, the a in this word is proclitic ; the older form was *i fus (=i bhfus)* ' at rest,' see 1 *foss* in Windisch's Wörterbuch. At this period the alliteration is regularly with *b-*, as here.

16 a *toigheadh*, a form of the gen. pl. of *teach*.

ALEXANDER'S EMPIRE

p. 37

   These stanzas are from *Fill th'aghaidh uainn, a Eire*, an elegy on Conn O'Donnell. Another version of the legend was published by Meyer, *Irische Texte* ii², p. 3 ; cf. his *Selections from Ancient Irish Poetry*, 96. See also *Measgra Dánta* pp. 191, 230, 277.

Metre : *deibhidhe*.

1 c ' the world is only by turns,' a variant of the proverbial *is bioth cháich ar uair an bioth so*, see *Miscell. of Irish Proverbs* p. 88.

d *a aonar*, an older form of *(i)na aonar*. The latter would make the line too long here.

2 ab ' although he laid the entire world under conditions,' (*comha*), i.e. subjugated it.

3 c *n-aon*, eclipsis is caused by *mar*, governing acc.

4 c ' their speech will be found with me,' i.e. ' I shall repeat what they said.'

d *dob fhearr n-e.*, eclipsis in such phrases is regular, and the adjective usually governs the gen.

6 a *aniú* ; here the alternative form *aniogh* would make the line too long.

d *uile ar a e.* ' entirely at his mercy ' ; *ar bhr.* ' depending on, at the mercy of.'

8 c ' the gold remains in his stead.' The version published by Meyer has *ag so an t-ór is ní uil sin* ' here is the gold but that (man) is no more.' Cf. *Measgra D.*

d ' an utterance whereby one is enlightened.'

THE TEACHINGS OF CORMAC

p. 39

Metre : *deibhidhe*.

This is a neat little abridgment of the famous *Tecosca Cormaic*, introduced as an apologue into *Cia ré bhfuil Eire ag anmhain*, addressed to Cú Chonnacht Mhág Uidhir, who died in 1589.

Cormac mac Airt, according to the annalists, was high-king of Ireland between 226 and 266 A.D., and he is said to have recited his *tecosca* to his son and successor Cairbre Lifeachair, who fell fighting against the Fian in the battle of Gowra. For these verses cf. the old text of the *Tecosca*, published by K. Meyer in Todd Lecture Series xv, § 1, 2-8, 11, 16, 18.

1 *Art Éinfhear* (this form is used instead of the regular *Aoinfhear* when required by the metre) : 'Art the Lonely' was so named because his two brothers were slain, leaving him the only surviving son of Cònn the Hundredbattler.

    b *do chreid* : ' trusted,' ' submitted to.' *Clár ríghE*. ' Plain of royal Eber,' i.e. Ireland. Eber was one of the sons of *Míl*, from whom the Gaelic race is fabled to have sprung.

    d ' a king who had these qualities.'

2 c *Cl. Criomhthain* : ' Ireland,' from a prehistoric king named *Criomhthan*.

    d *fír-fhearr* : ' truly the best,' a compound of *fíor* and the compar. of *maith*. This line refers to Cormac.

3 a *Cl. E.* : another poetic name for Ireland, usually from Eachaidh, son of Cairbre L. ; such an anachronism is not impossible here.

    b *Lifeachair* : one of the old explanations of this *sobriquet* is that Cairbre was so called because of his great love for the Liffey. The suffix is evidently the same as that in *súlcha(i)r concha(i)r*, *daoineachair*, etc., and is possibly connected with *caraim* ' I love.' In some of the words in which it appears a passive meaning would suit rather than an active one.

    c *cneas seang*, etc., the body, or a part of it, such as the eyes, hair, foot or hand is frequently used to denote the individual addressed, or referred to.

    d *fhearr*, in Early Irish the relative of *is* regularly lenites.

4 b *a chúl fiar*, such use of the nom. for voc. is common in verse of this period ; see Ériu 9, 92-4.

    c ' I am not reluctant to answer thee.'

5 c follows d in sense, *gnúis*, etc., being in apposition to *caith-bhile C.* ; c may be rendered ' modest countenance most lavish of cattle.' As to the use of *gnúis* here see note on 3 c.

d *caithbhile C.* i.e. Cormac. In the court poetry a king **may** be assigned to any part of Ireland regardless of its connection or lack of connection with his actual career ; the site of an ancient court may, of course, be used to denote Ireland as a whole.

6 a *a rún a.* ' O prudent mind.'

b *bhós*, this older form of *fós* is used here for the sake of alliteration with *bheith* ; cf. 7a.

c *br. an r.* ' such were the words of the king.' Syntactically abd form the predicate and c the subject. *tré ch. gc.*, ' according to the method of converse,' i.e. ' as spoken.' In early Ir. *tré(tri)* governs the acc., hence the eclipsis here.

d *'san=is an*, where *is=agus. ro-chongbháil*, here the prefix *ro-* increases the word to the required length and gives alliteration with *ríogh*, while at the same time it imports an additional intensity into the simple word, giving suitable force to the expression, and is not merely a metrical brick.

7 b *u. n-a.* ' easy of converse,' i.e. ' easy to approach, to get audience of.' As to the eclipsis, *cf.* p. 92.

d ' without noticeable pride,' i.e. ' without any arrogance of manner.'

8 a ' without a deceitful purpose.' *tré bh.s.* ' ever, always.'

c *do dhl.* ' should be.' *Banbha Br.* B. of Bregia, i.e. Ireland. *Breagh* is gen. pl. *Magh Breagh* was the name of a territory including part of the counties Wicklow, Dublin and Meath.

9 abc ' The men of Ireland must deliver their hostages to be (held) in pledge, these (things I have spoken of) are the obligations of the king of the fair Hill of Fál.' *toirbhearta* is here verbal of necessity of *toirbhirim* ' I hand over.' Hostages were symbols of sovranty in those days ; ' he is not a king who has no hostages in fetters,' says the brehon. *Tulach Fáil* is a poetic name for Ireland.

d *Iomghán* may be Dunamon Castle in Co. Galway, see note on 5 d.

THE CHILD BORN IN PRISON

p. 41

This story from the Gesta Romanorum is taken from a poem on the vanity of the world, beginning: *Mairg mheallas muirn an tsaoghail*. The late E. C. Quiggin, in his *Prolegomena to the study of the later Irish bards*, observes that this poem ' appears to have been for centuries the most popular religious composition in Ireland, if one may judge by the large number of MS. copies.' One result of this wide circulation has been that the surviving copies vary in a puzzling way in certain lines, not in general sense, but in vocabulary and turns of expression. For the text here I have depended mainly on the RIA MS. 23 H 8, which derives ultimately from a vellum, and the TCD vellum 23 H 19. The complete poem has been published by the Rev. L. McKenna in Timthire an Chroidhe Neamhtha VIII ii.   An edition and translation had also been prepared by Dr. Quiggin for his still unpublished edition of the Book of the Dean of Lismore, which contains a copy of the piece.

The author, who died in 1387, belonged to Duhallow, Co. Cork, and his poems are amongst the finest specimens of *dán díreach* we possess.   He is often referred to by poets of later ages as a model composer, and the grammarians cite his opinions on syntax. Several of his poems are addressed to the earls of Desmond who were his contemporaries.   These and the Mac Carthys seem to have been his principal patrons.   A number of his poems have been edited and translated by the Rev. L. McKenna in the Irish Monthly, 1919 ; others are included in Prof. Bergin's series in Studies (1918, 98 ; 1923, 273) ; see also Ériu v, 50, and supra p. 54.

Metre : *deibhidhe*.

2 c ' as though we were witness of it,' i.e. ' we can picture it.'

3 ' The child's spirits were none the less because the girl was in bondage ; though she was in bondage she was as attentive to him as woman free from punishment or penance.' *do bhaoi = do bhí.*

4 d ' through an auger-hole.'

5 a *Mun=um an.* ' The child and his mother were not in the same plight about the sad matter.'

c ' the outline of her bright countenance altered.'

7 ab *Seisean, sise*, the *s-* forms of the personal pronouns are common at this period where those without *s-* would be used now. *ag br. r.r.* ' making playful runs ' ; ' frolicking gaily.'

c ' alas for any who should not take to heart the haviour of the woman and the lad.'

8 cd ' since I perceive the traces of it, let me hear the cause of thy sorrow.' *cluineam* is imperat. pl. 1.

9 a ' It were no marvel were I dejected.' *do-neinn* is past subj. sg. 1 of *do-ním(déanaim).*

11 b *a bheanód*, the demons. suff. *-ód(=úd)* need not be translated here. It is frequently used with the voc. at this period.

12 c *dáigh tr.* ' a likely dwelling-place.'

13 cd the pron. in *ann* is in apposition to *do phort* : ' thou wouldst be dejected in thy nursery, my darling.'

14 cd here, similarly, *de* refers to *do mhoirn*, etc. : ' do not conceal from me (lit. us.) the knowledge of thy wealth excelling mine.'

16 c *a ghruadh*, see note on Teachings of Corm. 3 c.

18 a *ag f.* ' compared with.'

c ' the life of any (earthly) castle is sorrowful.'

A FATHER'S LAMENT

p. 45

These stanzas are taken from his father's elegy on Fearchar Ó Maoil Chiaráin, *Tugadh oirne easbhaidh mhór*. The author appears to have been a Scottish Gael. We learn from the poem that his son was slain in Ireland, whither he had gone on a bardic visitation. The stanzas are wrought with exceeding polish, and despite the exigencies of the metre the expression is remarkably simple. The complete poem numbers 48 stanzas.

Metre : *rannaigheacht mhór*.

2 cd ' the sound of O Maoil (Chiaráin)'s longing wail is as the cry of the blackbird seeking its mate.' The Í is unstressed here.

3 b ' we have been prostrate ever since ' ; *dá ló*, lit. ' from its day,' i.e. the day he learned of his son's death.

4 This refers to his parting with his son when the latter crossed to Ireland. He laments that he was so foolish as not to accompany him.

c *uaim* ' on my part.'

5 a *Magh F.* a poetic name for Ireland, whither the poet had come to seek his son. *fá bhfuil t.* ' about which the wave is,' ' sea-girt.' *fá = uma*.

6 c *do-chuaidh ... dhó* ' has departed.' cf. *Lotar na echlacha dó co tech Dare* Táin Bó Cualnge 98. Alternatively, we might put a comma after *bhfear*, and render : ' it is profitable for him (only).'

d ' he is not gathering cattle into my house ' ; *teagh* is acc. after the prep. of motion.

7 d ' the white, young, gentle, tall (fellow).' Such use of the subst. adj. is very common.

8 b ' let his blood upon the weapon,' i.e. ' stained the weapon with his blood.'

9 cd ' that all are grieved about their children—what avails it for anyone to tell me that ? '

> ' That loss is common would not make
> My own less bitter . . . . . .'

IN PRAISE OF LOCH ERNE

p. 47

These stanzas are taken from a poem beginning *Do mheall*

an sochur síol gColla, which, so far as I know, occurs only in YBL.
col. 175 (facs. 384). A few lines are partially illegible. The author,
who died in 1448, belonged to the Sligo branch of the O Huiginn
kindred. His career, so far as it can be traced in his own compos-
itions, is outlined by E. C. Quiggin, in *Prolegomena to the study
of the later Irish bards* (Proc. Brit. Acad. 1911). His religious poems
have been edited by the Rev. L. McKenna in *Dán Dé*, and his
elegy for his brother Fearghal Ruadh by Prof. Bergin, in
Studies 1924, 85 ff. See also *Measgra Dánta* 18.

Metre : *séadna.*

1 b ‘ land in which the herb grows most quickly,’ i.e. ‘ most
fertile land.’ *Fhear M.*, gen. of *Fir* (or *Feara*) *Manach* ‘ Fermanagh.’
        d *amuigh* ‘ from without.’

3 b ‘ no wonder that there is liveliness at the sight of them ’ ;
i.e. the excitement of surprise.

4 c *Tonn Tuaighe*, the falls of the Erne at Ballyshannon,
Co. Donegal.

5 b the remainder of the line is illegible.

6 d ‘ the *Leamhain* (flowing) into it (the lake), and the Erne
(flowing) forth.’ Here *Leamhain* appears to be applied to the Erne
as it enters the lake ; on leaving the lake on its course to Donegal
Bay it becomes the Erne, cf. p. 22 § 7.

inn is the pronominal form 3rd sg. masc. acc. of the prep. *i n-.*

7 ‘ beside the Erne, haunted by sweet birds, meeting place of
Fionn’s warrior-band, on days of the chase they would often fare
from one wood to another.’

8 d ‘ in which F. would spend a night covertly.’   Fionn,
i.e. F. mhac Cumhaill, captain of the Fian, or warrior bands, in
the days of Cormac mhac Airt.

9 b ‘ soil which is most plentiful in fruit of branches,’ i.e. ‘ in
which trees are most fruitful.’
        cd ‘ the warrior-band chose *Sliabh dá Chon* rather than any
other moorland slope in the blue woodland of the Greeks.’

Grecian is commonly used by the poets of the land or people of Ireland ; probably on account of the Grecian provenance attributed to some of the mythical invaders.

S. dá Chon is in the parish of Devenish, Co. Fermanagh.

THE LION AND THE FOX

p. 49

This is an apologue introduced by Tadhg Dall Ó Huiginn in his address to Brian O Ruairc, *D'fhior chogaidh chomháiltear síothcháin.* The poet belonged to Co. Sligo, and died in 1591. His poems are edited in vol. XXII of the Irish Texts Society.

Metre : *séadna mór*, or *dian mhidhsheang.*

1 a ' Does he (i.e. the chief to whom the apologue is applied) know about the case of the lion ? '

b ' one day when he attempted treachery.'

d *na n-uile a.*, cf. 7 a. Both *an uile* (leniting) and *na n-uile* leniting or eclipsing) are found, and the 16th century grammarians seem to differ as to what is the correct usage.

2 b *tiad* is pres. ind. pl. 3 of *téighim* ' I go.'

4 c ' it was not meet to strive with them in their own crafts.'

8 a *-deachmaois*, prototonic past subj. pl. I of *téighim.*

THE FOLLY OF WISDOM

p. 51

This apologue, which seems to be a version of the one related by the troubadour Peire Cardenal, cited in Sismondi's *Literature of the South of Europe* i 142 (Bohn 1846) ; Farnell's *Lives of the Troubadours* 223, is from a poem beginning *Bíodh aire ag Ullaibh ar Aodh.* The complete poem has been published with a translation by the Rev. L. McKenna in the Irish Monthly 1920, 593 ff. ; some extracts from it, including this story, had previously been published by Stern, without translation, in *Zeitschrift für celtische Philologie* ii 360-1. The author, Eochaidh O Heódhusa, was a writer of unusual talent and originality of outlook. He belonged to a family which at one time held a small lordship in north Donegal (Top. Poems 16 ; *Zeits. f. c. Ph.* viii 297), but in the sixteenth century were settled in Fermanagh. He seems to have resided at Ballyhose, on Castlehume Lough, Lower Loch Erne (RIA Proc. xxxvi C 6, pp. 95-6), and is probably to be identified with ' Oghy O'Hossy,' a ' native ' who was granted 210 acres in Clanawley, Co. Fermanagh, in 1611 (CSPI 1611, p. 210).

Thirty sages of old prognosticated from the appearance of the heavens the approach of a downpour which should deprive of their wits all who·felt it. They warned the people of the danger, and advised them to take refuge in caves. The warning was not heeded, but the sages themselves took shelter. On coming forth afterwards they found that the people, having lost their wits, no longer understood or respected them. The sages resolve therefore, since their wisdom is of such little account, to become foolish like the rest of mankind, and since the shower has bemused the understanding of the others they go out under it in order that they may make themselves as other men.

Metre : *deibhidhe.*

2 d *feadh=ar feadh* ' throughout.'

3 b *a mbeith,* the poss. refers to *lucht* in d: ' that when the shower fell those whom it touched would be(come) senseless and deranged.'

4 abc ' The thirty sages, expecting everyone would believe them, came with their tidings to make it known.'

11 c ' few escaped it.'

14 abd ' However, everyone explained to the company of scholars that they (the people) had become foolish.'

15 ab ' Let us make ourselves unwise also, said the sages.' *déanaimne=déanam,* imperat. pl. I, with the emphas. suff. *-ne* which regularly attenuates the preceding consonant.

16 ' In order to make themselves like all men, their final decision was, since it had quenched the intellect of the world, to go out into the rain forthwith.'

The phrase *dul fa uisge an cheatha* became proverbial ; O Heódhusa himself uses it very aptly in a poem edited and translated by Prof. Bergin in Studies 1918, 616 ; and it turns up in later 17th century literature. Cf. *Dánta Grádha* ² 92, 2.

THE COMING OF LUGH

p. 54

These stanzas are from a poem beginning *Mór ar bhfearg riot, a rí Saxan*, in honour of Maurice FitzMaurice, second earl of Desmond, who died between 1356 and 1358. The complete poem has been edited and translated by Prof. Bergin in *Essays and Studies presented to William Ridgeway*, 1913, p. 323 ff. I have printed the stanzas in four lines, instead of in two long lines as in Prof. Bergin's edition and in the MS. (RIA A iv 3). The pages of this book are not wide enough to contain the long line in every case, and moreover the structure of the metre is more clearly illustrated for learners by the fourlined arrangement.

Metre : *snéadhbhairdne*, or *deachnadh cumaisg*.

The story of Lugh's arrival at Tara is taken from some version of the Second Battle of Moytura, cf. Revue Celtique xii 52 ff.

1 ' Lugh, at Eamhain in the east, had a vision of the Rampart of Té, Tara, to which he reached after searching every place.'

For *Eamhain* see note on § 4 c.

2 a *ar chionn* ' against,' ' in preparation for.' ' L. found the citadel closed.'

2 b *ro thoghsom* is pref. pl. 1 of *toghaim*.

3 b ' stern in anger of onset ' (Bergin *l. c.*).

c this line is a syllable too long, and emendation is doubtful.

4 a Here I make this the short line ; the arrangement

Ris an doirseóir adubhairt Lugh
nár loc iomghuin

would give the required alliteration between the final of a and
the first stressed word of b, but we should not then have the
regular dissyllabic ending in a. Cf. §§ 9, 10, 17.

c *Eamhain Abhlach* is the name of an enchanted island, or
fairyland, situated between Ireland and Scotland. It corresponds
to Tennyson's 'island valley of Avilion.'

5 d 'thou ruddy, bright-hued one.'

6 a *Teach Miodhchuarta*, the banqueting hall at Tara.

The sons of Eithliu, i.e. the *Tuatha Dé Danann*, the pre-Milesian
race fabled to have retired into the *sidhe*, or elf-mounds, when
they were overthrown by the Sons of *Míl*.

b 'then.'

d 'must be related'; *tharrsaibh* pronominal pl. 3 from *tar*.

7 a The trisyllabic ending here may be due to some scribal
error. We have only one copy of the poem.

8 'So many are the arts of the T. D. D., bestowers of cloaks,
that thou must bring them an art that they know not'
(Bergin *l. c.*).

b This is in illustration of their generosity.

9 b *is tigh i dtá*, etc., 'in the house in which the company is.'
In Early Irish *-tá* is the regular form with the prepositional
relative.

10 a 'swimming above weakness,' an obscure feat, the nature
of which is not clear.

11 ab 'what I recount is here as an extra beyond them'
(Bergin *l. c.*). Here the a of the article must be elided.

12 b 'great was his haste' (Bergin *l. c.*); *-séin* is the demons.
suff., as in *ainnséin*.

14 a *Fódla*, a poetic name for Ireland.

15 'To win the prize of beauty from the man at the door—

a ground for hesitation—there has not been made of earth or water a creature entitled to that ' (Bergin *l. c.*).

16 d Here we have only one stressed word, and the alliteration is with the final of c.

17 ab I have altered this from the MS. arrangement :

    Binni a theanga iná téda meannchrot, agá míndeilbh in which the first line is too long by a syllable.

    c when c is the short line each stressed word in it makes internal rime with d ; a monosyllabic ending is permitted, and the consonance with b, d is unnecessary. Cf. §§ 18, 21, 23.

The simile here is a favourite one in the old literature, and these lines are probably taken with little alteration from the text used by the poet, cf. : *ba binnithir lim ra fogor mendchrott i llámaib súad ica sirshennim bindfhogrugud a gotha . . . inn óclaig* ' as sweet to me as the sound of lutes soothingly played in the hands of skilled minstrels was the sweet sound of the youth's voice.' *Táin Bó Cualnge*, ed. Windisch, 5214-6.

    c *ón* ' prep. + copula from which is.'

18 c *Eithne*, or *Eithliu*, was Lugh's mother. *aonmhac* ' very son.

20 a *an tIoldánach* is a common epithet of Lugh in the later tales. In the older ones he is called *Sam* (or *Sab*) *ildánach*.

21 d *cosnaid* is an archaic form of the perf. pass. pl. of *cosnaim* ' I contest.'

22 a *Teamhair Airt* ; although Lugh, who is evidently speaking here, belongs to the pre-Milesian period the Art referred to may be the son of Conn Céadchathach. Goïraidh Fionn, like Shakespeare, thought little of such anachronisms.

A STORY FROM THE TAIN

p. 59

From an address to Maguire, beginning *Rogha an chuaine Cú Chonnacht*. I have no information about the poet. Readers of the Táin are familiar with the story of how Cú Chulainn slew the

hound of the smith. The point of the old legend is lost here
through the form of the smith's name; in the Táin he is called
Culand (older Cauland), hence the little lad, when he took the
dog's place, was dubbed Cú Chulainn ' Culann's Hound.'

Metre : *deibhidhe*.

1 construe :   *C. ceard airdríogh U. — rí . . . nárbh ónda —
fleadh aige arna hollmhughadh, do bhí am t-aimsin ionóla. fleadh* is
in apposition to the subject contained in *do bhí. Uladh* ' of the
Ulster people '; the nom. is *Ulaidh.*

2 a *E. Macha* ' Emania '; Conchobhar's palace, on the site
of Navan Fort, near Armagh. b perhaps *chaogaid*; in the older
language we might have had *coictaib*.   In the Book of Leinster
Conchobhar is said to have had a very small following on this
occasion.

c ' all that were invited by C.'

3 c ' discovered the direction of the troop,' ' picked up their
traces.'

4 c ' against the fair-haired one who reddened a mound,'
i.e. ' drew blood in battle.' The reference is to Cú Chulainn.

5 c ' to slay her was no callow deed.'

6 b *Deichtine*, the mother of Cú Chulainn.

c ' the fame of it (the deed) was as good as a hosting,'
i.e. he gained as much fame as by a successful hosting.

7 a *Do-bhéar*, fut. sg. 1 of *do-bheirim* ; *Dún Dealgan* ' Dundalk.'

8 cd ' that thou shouldst do what she — a hound fit for service,
when considered — did.'

9 a ' who used to redden a spear,' a reference to his warlike
prowess.

c ' till the young puppies were ready for service.'   In the
Táin Cú Chulainn says to the smith : A whelp of the same litter
shall be reared by me for thee, and I shall be a hound to guard

thy cattle and thy self until this hound grows up and is fit for action (*Stories from the Táin* p. 9).

d ' the utmost of toil for the matter.'

10 d *Sl. Cuillinn*, ' Slieve Gullian,' in Armagh.

A STORY ABOUT HERCULES

p. 62

From an anonymous poem, beginning *Seanóir cuilg cairt an Bhúrcaigh* ; probably of the early 16th century.

This account of Hercules's raid on the Hesperides is evidently based on that in the Irish 'Adventures of Hercules,' of which there is a copy in T.C.D. ; see *Revue Celtique* x 179. An edition of this text is in preparation. The corresponding English version : How hercules saylled by the see into esperye. And how he vaynquysshid the yle with the moutons or shepe. And vaynquysshid Philotes. And slew his felawe, will be found in Sommer's edition of *The recuyell of the Historyes of Troye* (1894) i 262 ff.

Metre : *deibhidhe.*

2 d *Croidhéan* (Creon) ; a masc. word of two or more syllables, ending in a broad consonant preceded by a long vowel, may make gen. sg. by attenuation, or remain unchanged. Cf. 36.

3 a ' The wind, after tautening her sails, wafted . . .' ' her ' refers, of course, to *luing*, which is in the acc. as obj. of *seólais*.
   Téibh, ' Thebes.'

4 c ' from what herb has the hue been obtained ? ' *-dearnadh* is the prototonic form of the pass. perf. of *do-ním.*

5 a ' No herb of any that ever grew from pure clay.'

   c ' provided for us, said he, the hue.'

6 bc *don chr. c. na gc.* ' of the land which maintains the sheep.'

   d Note the rime *caondath* : *caorach*, even when the initial of a word in a compound *-d-* may blend with a preceding *-n-*, the two letters counting as a single consonant of the *bh* class.

After a description of the island and its guardians, the prose version adds : *Is frisinn alen so adberdis na fileda in lugort co n-ubluibh oir fair ⁊ serpens hicc a imcoiméd ⁊ cidbe don cinedh daona nech do rachadh do fromad na n-umallside co tibhredh an serpens atpertamar indrudh saeghail do cenmotha in ti no chrenfadh fa comtrom do dergor cech ubull dib. Is iat na hubla óir ann na cairigh corcra atpertamar ⁊ isi in aithir neime. i. in t-aithech aingide etrocarside ro bui hic malairt gach aein* (H 2. 7, 261b).

8 d *aghthair*=*faghthair* ; forms of this verb without the *f-* are common in verse of the period.

9 b ' whose true name is F.' *dan h-* = prep. *do*(or *di*) + rel of copula. In the prose version the occupier of the island is called *Filoces* and *Filoses* ; the English has Philotes (Philoctetes).

    cd ' is one to guard the flock and the land, said the merchant.'

10 construe : *An dtiubhra a fhios damh cionnus do-chuaidh i seilbh na críche an ch. an tí dar sealbh sin*, etc.

    d ' or did he possess it from his forefathers ? ' *nar* may be a pleonastic form of the interrog. with *r(o)*, the *-n* of the present, etc., being prefixed. Cf. *inar* for the prep. *i n-* with *r(o)*.

12 a *ceart chl.* ' sword-title,' i.e. ' right of conquest.' The lenition may be an error of the scribe, or may mark the attrib. gen.

    cd 'A charter of our weapons shall not be got ; let a sounder charter be written ; ' i.e. ' our weapons shall make a better one, which shall not be wrested from us.' The pl. is used for the sg., as usual.

14 a *fine Fomra* the kindred of the Fomorians, or giants.

    c ' alas for any who ever encountered him in a skirmish.'

    d ' met Hercules on the plain.' The form *Eirceall* is an offering to the metre ; foreign names are subject to such transformations, within certain limits.

15 d ' against whom no foreign land (*or* no foreigner from any land) had protection.'

19 a *Gá dtám ? acht* : ' in short ' ; cf. p. 26 § 4 a. As to *Arcail* see 14d.

c ' till he added his death to his roll of exploits.'

21 *Tug . . . an ldinh . . . i láimh E.* : ' put his hand into the hand of H.,' i.e. acknowledged him as lord. b *crích* is acc., as virtual obj. of *ag sin* ; cf. p. 34 § 8.

22 *fá t. tr.* : ' about which conflicts were numerous.'

DEMONSTRATION

p. 67

This quaint little apologue is from an anonymous poem, beginning *Deacair iomlaoit Chlann gConuill*, of which I have only seen one copy.

Cairbre, son of Cormac mhac Airt (see supra p. 93), persuades an offended poet to return to his father's court by demonstrating that one does not flourish out of one's natural element.

Metre : *rannaigheacht bheag.*

1 cd ' a matter not meet to mention became a cause of illwill between them.'

2 ' Fítheal the poet did not accept justice at the hands of the king with whom he was, so that he fared forth from the plain of Meath—strange that he should care for another country.' F. was Cormac's chief brehon (Keating ii p. 338) ; The quarrel between Cormac and Fítheal is also referred to in a poem by Írial (mac Aonghusa) Ó Huiginn, beg. *Ag so chugad, a Chormaic.* In a story printed in *Hibernica Minora* p. 82 Fítheal takes offence because Cormac enjoyed a banquet without asking the poet to join him, but there is nothing about a consequent departure ; *níor gheabh* ; both *geabh* and *gabh* are found as perf. stem at this period.

3 a *Fonn Tuathail* may mean Ireland, or simply Meath. Tuathal Teachtmhar is referred to.

cd ' it is startling to everyone, it was an arrogant fit when considered.' *sé*, *sí*, etc., are commonly used with the copula at this period.

4 ' The son of Art, if he reflected on Fítheal's absence from him in the Plain of C. (i.e. Connacht), he, a king from whom every company of guests got the utmost (hospitality), felt solitary without him.'

5 ' As for Cairbre, royal heir of the House of Tara, neither the music or the wine of Banbha's champion (i.e. Cormac) concealed his dejection of spirit.' *Craoi C.*, gen. of *Cró C.*, ' C's Fold,' a poetic name for Ireland.

c *bhile B.* counts as a proper name, and is therefore lenited in the gen. as proper names frequently are.

6 d *Fonn Fuinidh* ' Land of the Sunset,' is a common poetic name for Ireland.

7 *Fód Éibhir = Fonn É.* § 15, ' Eber's Land '= Ireland.

8 a *beiris*, pret. sg. 3 of *beirim*, formed on the pattern of regular s-preterite forms such as *léigis*.

9 b ' the nut of the cluster of the Sons of Míl,' a complimentary epithet of Cairbre.

10 a The absence of elision here may be due to some scribal error, b ' the live (lit. ' the quick of the ') salmon not lasting in partnership.'

11 a ' The crimson salmon did not live long.'

b This line seems corrupt, though we might render ' there is no coming upon it alive within,' ' he is not found alive.'

cd *sé* is in apposition to *dalta* ; ' the fosterling of cool strands perished in the vessel of milk from his expedition.'

13 c ' long has the friendship of his kindred been with us.'

15 c cini*d* MS. d fili*dh* MS. ' To visit the kindred of Conn the poet of Eber's Land sets forth with his minstrels.' A chief poet usually maintained a retinue of bards, musicians, etc., see Keat. Hist. iii p. 78.

TOKENS OF A RIGHTFUL PRINCE

p. 70

This little bit of nature poetry is from an inaugural address to Rudhraighe O Domhnail , Iarla Tíre Conaill, beginning *Rug cobhair ar Chonallchaibh*. It has very little to do with the stern realities of that epoch, but we may conceive the poet as finding consolation in the indulgence of his fancy ; escaping from the present to the ideal in the exercise of his art. The author was a member of the famous Donegal family of scholars and scribes to whom we owe the Annals of the Four Masters, the Life of Red Hugh and some unpublished historical works.

Metre : *brúilingeacht* of *casbhairdne*.

1 e-h ' The poets, the clergy, the minstrel bands are amongst those who prophesy thee.' i.e. the wellbeing of these is an augury of thy reign, even as the fruitful trees and fair weather, *éigsi* may be acc. pl. for nom., or possibly we should read an *éigse* ' poetry ' (the profession).

h *gur mheala* ' well wear ! '

2 f Reading uncertain. h There is a syllable wanting here.

3 a *críoch* may be rendered as gen. sg. here, the whole phrase being in the gen. The ending of c is irregular, and perhaps corrupt.

4 f *mo chean dá ró an r.* ' happy he to whom the kingdom shall come ' ; *ró* is fut. sg 3 of *roichim*.

CONFLICTING COUNSELS

p. 72

This piece is addressed to the celebrated Aodh Mhág Uidhir (Hugh Maguire) who was slain at Cork in 1600. The poet is still a student at a bardic college in Munster, and expresses his difficulty in making up his mind as to which of two desirable

courses he should pursue ; whether to return to his patron in
Ulster, leaving his poetic studies uncompleted, or to remain until
he shall have finished his final exercises.

An edition differing in a few details from the present has been
published, with a translation, by the Rev. L. McKenna, in the
Irish Monthly 1920, p. 649 ff.

Metre : *droighneach.*

1 This stanza is rendered by S. H. O'Grady, in his *Catalogue
of Irish MSS. in the British Museum*, p. 478, as follows : ' I am
in a dilemma betwixt two counsels (i.e. courses of action that
suggest themselves) ; than a conjuncture of which I speak now
what case can be more difficult ? a hazardous matter it is to escape
(creditably) from the ultimate conclusion of both counsels (which
are) two forces of equal magnitude that perseveringly deflect me
from my path.'

2 bcd ' desire of cultivation seeking to rein us back from the
territory of bright . . . Eamhain, and (on the other hand) my
inordinate desire to abide with the mother who bore me.' Eamhain,
the ancient court of Conchobhar son of Ness, is used here in
general reference to Ulster.

3 b -*Mhumhan* gen. of *Mumha* ' Munster.'

4 b *géis grianDoire* ' the swan of sunny Derry,' a poetic
reference to Maguire. Cf. Teachings of Corm. 5 d. *ros faillsigh
gach f.* ' whom every wise poet has made famous.' The -*s* is a
survival of the infixed pronouns ; used here it gives an additional
alliteration by preventing the lenition of the following f ; see
Studies 1921, p. 590.

d ' that it were unwise to desist for the foolish aim we would
pursue.'

5 d *Modhairne*, gen. of *Modharn*, the Mourne river in Tyrone.
Sluagh M. means the men of the North.

6 c *gd dulc=gd d'ulc*, in this phrase the d may count for
alliteration instead of the vowel, if convenient, cf. p. 26. § 4a.

f *ríoghOiligh* ' of royal *Oileach*,' *Oileach (Aileach)*, the ancient stronghold of the northern Uí Néill, stood on the site of the present Greenan Ely in Inishowen.

7 d *Gabhra* gen. of *Gabhair*, the name of a place or river in Fermanagh.

8 a *-Daoile*, gen. of *Daol*, a river in Donegal.

b *fiadh fionnÁine*, the country round *Áine Cliach*, near Bruff, Co. Limerick.

c *Clár seanD.*, Munster, from an ancient king named *Dáire*.

9 c *ríoghUidhir*, ' of royal Odhar,' the eponymous ancestor of the Méig Uidhir (the Maguire family).

10 c *Mág Uidhir*; in surnames *Mac* becomes *Mág*, gen. *Méig*, before vowels, *l*, *r*, and sometimes *c*. See T. Ó Máille, *Annals of Ulster*, 51 n. *Mág*, *Méig*, like *Mac*, *Meic*, are unstressed when the baptismal name precedes them ; otherwise they are fully stressed, and can make rime and alliteration.

dá roiseam ' to whom I shall reach ' ; *roiseam* is fut. (and pres. subj.) pl. 1 of *roichim* (O. Ir. *ro-saig-* ; Mod. *sroichim*, *sroisim*).

11 b ' my protective girdle, my invigorating draught ' ; I take these to be used here as complimentary epithets of Maguire.

d *fiadh U.*, see *fiadh* in Glossary.

13 a ' There will be many a poet (busy) with panegyrics.'

14 ' When the bright-poesied flock are departing, there will be many learned poets, with their track leading from the . . . dwelling ; many a polished piece of rhetoric (composed) by young scholars for the . . . castle.' The poets departing after their entertainment, leave behind them grateful panegyrics of the house and its master.

16 b *finnshleasaibh* : the *-sh-* is omitted from all the MS. copies I have seen, but ' by the fair side-walls ' seems to be the meaning required. The *-sh-* is, of course, silent, so the sound will be the same, whether it is written or not.

17 d *ar bhf. C.* ' our race of Craoidhe.' Craoidhe was an ancestor
of the Maguires, often referred to by the poets of this period.

19 a *na dreime*, etc., those of the Pale. *Bóinne*, gen. of *Bóinn*
' the Boyne.'

21 b ' from which scholars are laborious,' etc., i.e. ' who causes
scholars, or poets, to labour at compositions of praise.' *Múr M.*
' Muireadhach's Rampart,' i.e. Tara, or Ireland, probably from
Muireadhach Tíreach, a 4th century king of Ireland.

cd ' one who beyond any of the noble bloods of the impetuous
western host is ever expending gold upon our art.'

IN DEFENCE OF POESY

p. 78

These stanzas are from a poem beginning *A theachtaire thig ón
Róimh*, a protest against a threatened proscription of poets. The
author is best known to modern students by his elegy on
Brian O'Neill, slain in the battle of Down in 1260 (ed. O'Donovan
in Miscell. of Celt. Soc., 1849), see also Irish Monthly 1920, 422,
Measgra Dánta 61 and *Irish Texts* 1931, fasc. ii 2 ff. The complete
poem has been edited and translated by the Rev. L. McKenna
in the Irish Monthly 1919, p. 679 ff. Father McKenna was misled,
however, about the date of the poem ; some lines from it are cited
in the 16th century grammatical tracts, and the ascription to
Giolla Brighde in 23 N 15 (to which Prof. T. F. O'Rahilly drew
my attention) has nothing against it.

Metre : *deibhidhe.*

2 ' Even if a poem were but make-believe, it is a lasting make-
believe in exchange for a passing one ; all wealth is but make-
believe, and even so is the man to whom the poem is made.'

3 ' One will have none the more gold or horses for being stingy ;
to take no interest in any poem will not perpetuate his cows '

The rule that cd should have at least two internal rimes is not followed here, but as the only stressed word in d is rimed, there is no actual fault in the metre. Other examples will be found supra, pp. 33, 64, 65, etc.

5 b *muna mb.* ' were it not for us.'

8 a Guaire, king of Connacht in the middle of the 7th century, was famed for his generosity, of which many stories are told by Keating and earlier writers. The best known is modernized in Father Peter O'Leary's *Guaire*.

b the hero of the Táin. *Craobhruadh* ' the Red-branched,' the name of one of the halls in Conchobhar's palace in Emania.

9 b, d Conall Cearnach, Conchobhar mhac Neasa and Fearghus mhac Róigh, all champions of the Ulster cycle.

10 a Lugh Lámhfhada, the Tuath Dé Danann king of Ireland, was slain, according to the legend, by Mac Cuill, son of Cearmaid Milbheól.

cd ' his fame . . . still preserves Lugh.'

11 d Niall of the Nine Hostages, Conn the Hundred-battler, Cormac mhac Airt.

12 a Corc, son of Lughaidh, a 4th century king of Munster, the founder of Cashel.

c ' scions from the household of the Three Castles,' i.e. Teamhair, which is often referred to by the poets as Teach an Trír.

d Dá Thi, son of Fiachra, king of Ireland A.D. 405-428; Tuathal Teachtmhar, king of I., was slain A.D. 106.

13 d see note on 3 cd.

15 b ' and your poems,' i.e. the poems addressed to you. Domhnall is possibly to be identified with Domhnall Óg Ó Domhnaill who was elected chief of his name in 1258. An inaugural ode to him by Giolla Brighde is extant.

GLOSSARY

aba, in phr. ar a. *nevertheless.*
ac *nay.*
achadh m. *field.*
adhaigh f. *night.*
adhbha f., acc.-dat. -sidh, *dwelling.*
adhlaicthe, gen. of adhlacadh *burial.*
adhradh *adoring.*
adhraim *I follow, cling to.*
agallamh f. *addressing.*
aghaidh, re ha. *in preparation for.*
ág-náir *young and modest* (ág= óg).
aidhche=oidhche *night.*
aighmhéil *perilous.*
aimhghlic *unwise.*
ainchim, ainghim *I protect.*
ainnséin *then.*
airceis, i n-a. ar *awaiting, ready for.*
1 aire m. *burden.*
2 aire *watching, guarding.*
aireach *heedful, circumspect.*
airgim *I plunder.*
airiughadh *perceiving.*
áirmheach *renowned.*
airm-niamhtha *of bright weapons.*
áith *keen.*

aithbhéodhadh *reviving.*
aitheach *giant* ; *churl.*
aithleónadh *another wounding, a fresh hurt.*
aithreach *repentant.*
aithrighim *I change.*
áitiughadh *establishing.*
allmharach *foreign.*
allmhurdha *outlandish, strange.*
altrom *nourishing, rearing.*
amus m. *onset, attack.*
anaim *I wait, stay.*
a-nallana *of yore.*
anam *soul* ; as term of endearment, *darling.*
anamhain *remaining.*
anbháil *tremendous, vast.*
anfhorlonn *onslaught, violence.*
aniogh, aniú *today.*
antoil *excessive desire.*
aoghaire *shepherd.*
aoidh, óidh, úidh *attention.*
aoighe, gs. and gp. -eadh, pl. -eadha *guest, stranger.*
aoil-lios *limed enclosure.*
aol *lime.*
aol-chúirteach *having limed courts.*
aoraim *I satirize.*
aradha(in) f. gs. -dhna, *a rein, reining.*

114

argain, verbal noun of airgim.

arm-ghasraidh f. *an armed band.*

arm-ruadh *red-weaponed.*

arsaidh *aged* ; of shields, probably *seasoned.*

báidh *love, alliance.*

bailg dat. and acc. of balg (bolg) *bubble.*

baill-bhreac *freckled* ; *gaily coloured.*

baill-gheal *white-flecked.*

bais-réidh *smooth of palm* (bas).

baoith-réim *foolish course.*

baoth-ghrádh *fond love.*

baramhail *parable.*

barr-ghlan *bright-tipped.*

bas-chrann *knocker.*

beadhgadh *starting, a start of surprise, excitement.*

béal-aolta *with lime-washed entrance.*

béal-luighe *promise of mouth, verbal oath.*

beanaim *I take.*

beart *move, trick.*

béin *striking, snatching.*

béinne (méinne) *a company, a party of women.*

béinne-mhear *of lively companies.*

beithir *bear,* metaph. *hero.*

beó *alive, quick* ; m. *the living state.*

bhós = fós *moreover.*

bí gen. sg. m. of beó.

bile *an ancient conspicuous tree* ; metaph. *a champion, hero.*

bionn-orghán *a sweet musical instrument.*

bioth m., gen. beatha, *world.*

biseach m. *increase.* ag breith bhisigh *growing, increasing.*

bláith *smooth.*

bláth *blossom.*

bleidhe *goblet.*

bloghadh *breaking.*

bloghaim *I break.*

bóchna f. *the sea.*

bog *soft, pleasant* ; *kindly.*

boirrthe, gen. of borradh ?

bois-seang *slender-handed.*

brágha gen. -ad, pl. bráighde. *neck* ; *hostage.*

1 breac *salmon.*

2 breac *dappled, gay.*

bríosún = príosún.

bríosúnta *prisonlike.*

broid f. *bondage* ; *sorrow.*

bróin dat. sg. of bró *a mass.*

bronnadh *bestowing.*

bruach m. *brink, shore.*

brugh m. *castle.*

bruidhean f. *hostel.*

buabhall m. *a horn.*

buadh m. gs. buaidh and buadha, *gift, virtue.* attrib. gen. *precious.*

buadh-chlach *precious stone.*

buain-ré *perpetual course, everlasting life.*

buan *lasting.*

buanughadh *perpetuating.*
buga *gentleness, kindliness.*
buing *taking, snatching.*
buinne m. *a stream.*
búireach *belling.*

cabhair f. *help.*
cách, gen. cáich, cáigh, *everybody, anybody ; the people.*
caidhe *where, what (is or are).*
cáigh see cách.
cáil *quality ; fame.*
caill-gheal *bright-wooded,* or *of bright hazels.*
cáinim *I censure.*
cairt f. *charter, titledeeds.*
caith-ghnímh-fhear *man of warlike actions ; battle champion.*
caithmheach *lavish.*
caithréim *battle-roll ; battle-course, fighting career.*
caladh m. *shore.*
call-ghlan *of bright hazels.*
canaim *I sing, say.*
caoi *lamentation, grief.*
caoil-fhiodhach, *having slender,* i.e. *gracefully growing, woods.* (fiodh *a wood*).
caoimh-sgeach *a fair thorn.*
caoir-rinn a *glowing point* (caor *a molten mass*).
caomh *a dear one, a comrade.*
caol-fhogha *a slender javelin.*
caomhna, gen. -anta *protecting, containing.*
caomhthach *friend.*
caon-dath *fair hue.*

cás *case, plight, difficulty.*
cé, *here,* only in an bioth cé *this world.*
cead *leave,* do ch. *by leave of.*
céadáir (-óir) *forthwith, at once.*
céad-uair, an ch. *at first.*
cealgaim *I beguile, win.*
cean, in phr. mo ch. *hail, welcome.*
ceannaighe *merchant.*
ceann-chrom *bent-headed ;* of trees, *heavy with fruit.*
cearchuill *pillow.*
1 ceard f. *craft.*
2 ceard *a smith, craftsman.*
ceart *justice.*
ceathardha *square ; four-cornered.*
ceathra *quadrupeds.*
céid-chéim *first step.*
céid-iarraidh *first asking.*
ceilim *I conceal.*
ceiliobhradh *bidding farewell.*
céillidh *wise, sensible.*
céim m. and f. *step.*
céim-righin *slow of step.*
ceisim ar *I complain of, grumble at.*
ceól-oireacht *melodious assembly.*
cia *who, what (is, are).*
ciar-lon m. *blackbird.*
cinéal m. *race, stock.* gs. -éal, -eóil, -eól.
cinneamhain *fate.*
cinnteacht *certainty.*
cion *love, regard.*

cládh = clódh *overthrowing, destroying.*

claon *a stoop, bend.*

claon-doireach *of bending groves.*

cleasradh m. collect. *deeds, feats.*

cleath *a stem, branch, treetrunk.*

cleith *concealment, reservation.*

cliar f., collect. *band of minstrels.*

cliar-sgol f. *a school of minstrels.*

cliathach *skirmish.*

cliath-ghoil *ardour of a skirmish.*

clúmh m. gs. clúimhe, *down, fleece.*

cneas m. *flesh, body.*

cnú, pl. cna f. *hazel-nut.*

cnuas m. *a cluster of nuts ; fruit.*

cnuasach *gathering.*

cóigeadh m. *a fifth, a province.*

coille *forest.*

coimhfhliuchadh *simultaneously wetting.*

coim-mear-lúdh *equally lively vigour.*

coimmeas m. *match.*

coinghleac f. *a fight.*

coinne *a meeting.*

coinneal f. *candle.*

coisgim *I hinder.*

colann f. *the flesh.*

colbha *border.*

comha m. and f. *a gift, a conciliatory offering, ransom.*

comhadhbhal *equally huge, equally imposing.*

comhaidheach *neighbour, stranger ; guest.*

comhairle f. *counsel.*

comdháil *assembly, meeting.*

comhdhaor *equally base.*

comhlonn m. *combat.*

comhrádh m. *converse, speech.*

comhshaor *equally noble.*

commus = cumas *power.* ar c. *in the power of.*

comtha gen. of commaidh *companionship ;* fear comtha *comrade.*

confadh m. *rage.*

confadhach *spirited.*

congbhaim *I keep up, maintain.*

congháir f. *shouting, clamour, bustle.*

conmhaor *dogkeeper.*

corcra *crimson, ruddy.*

1 corr *a crane.*

2 corr *smooth ; tapering.*

cosnaim *I contest, strive for.*

craobh f. *branch ;* c. gheinealaigh *genealogical branch.*

creach f. *prey.*

créidhim *a wasting, consumption.*

criaidh dat. of cré *clay.*

cridhe = croidhe.

críoch-bhord *border of territory.*

críoch-bhun *ultimate foundation.*

cróch-bhuidhe *russet.*

crodh m. *cattle, wealth reckoned in cattle.*

crú dat. of cró *enclosure, palisade.*

crú *blood.*

cruas m. *severity, sternness.*

cruit f. *harp.*

cruthach *comely.*

cruthoghadh *forming, creating.*

cuagh (cuadh) m. *a vessel.*

cuain-ealach *of swan-haunted harbours.*

cuanach *in bands* ; *crowded.*

cuardughadh *exploring.*

cubhra *fragrant.*

cuibhdhois m. *harmony, adjustment, reason.*

cuibhreach *fettering.*

cuir *firm.*

cuireadh m. *invitation, party.*

cuirm-lios *ale-abounding stead.*

1 cúl, ar gc. *backwards.*

2 cúl *hair of the head, back hair.*

cum dat. of com *bosom.*

cuma *shaping, composing.*

1 cumhang *capacity, power.*

2 cumhang *narrow.*

cumhraidhe *fragrant.*

cumhthach *sorrowful.*

cúpla *couple, pair.*

cur, gp. coradh, *champion.*

dabhach f., gs. dabhcha, *vat.*

dáigh=dóigh *hope, expectation.*

daigh-theagh *noble house* (dagh=deagh).

dáil, i nd. *to meet, towards.*

dáilim *I dispense, bestow.*

dál *case, matter* ; pl. dála *as to, as for.*

dalta *fosterling.*

daltán *id.*

damh *stag, hart.*

dámh f. *a company of guests,* or *minstrels.*

damhna ríogh *a royal heir, one qualified for kingship.*

dán m. *poetry, a poem,* fear dána *a poet.*

daoirse *bondage, enslavement, misery.*

daol-datha *black-hued.*

daor-luaigh, *highly-priced, expensive.*

dath-ghlan *bright-hued.*

deacracht *hardship.*

deagh-adhbha *noble dwelling.*

deaghaidh, i nd. = i ndiaidh *after.*

deaghdhuine *a gentle, noble.*

deagh-fhuil, pl. -fhala, *gentle blood, noble family.*

dealbh m. and f. *shape, form, appearance.*

dealbh-lasair *a shapely flame.*

dealbh-órtha *of gilded surface.*

dealradh *sheen, lustre.*

déanaimh, by-form of déanamh.

déar aille, a complimentary epithet of doubtful meaning.

dearbh *certainty, proof.*

dearc f. *eye.*

deargaim, *I redden, cause to flush.*

dearn- a form of the perf. and subj. stem of do-ním (déanaim).

deibhthir=deithbhir *haste.*

deighfhear *gentleman*.

deighleabhar *a worthy book*.

deit=duit.

deóidh, i nd.= i ndiaidh.

diamhair *depth, obscurity*; *obscure, mysterious*.

díchoisc *unruly*.

dil *dear, beloved*.

dín-chrios *protective girdle*.

dín-líg-geal *with roofing* (díon) *of bright stone* (líog).

díoghaltach *vengeful*.

díoghrais *fervour*.

diombágh *displeasure*.

diombuan *shortlived, transitory*.

diomdha f. *dissatisfaction*.

díomsach *proud*; *dazzling*.

díon *shelter, protection*.

diongna *strange, unfitting*.

dionn-naoidhe *of fresh or bright eminences* (dionn).

dís=dias f. *a pair*.

díth m. and f. *loss, death*.

dítheal=dícheall *utmost endeavour*.

díthreabh *uncultivated land*.

dlaoi *wisp, cover*.

dleacht *fitting, proper*.

dleisdi, verbal of necess. of dlighim.

dlighim *I owe, ought*; *am entitled to*.

doichleach *niggardly*.

dóigh *hope, expectation*.

doilbhthe *magical*.

doiligh *troublesome*.

doimheanma *dejection of spirits*.

doinn-deas *brown and comely*.

doire long *a grove of ships* (a figure suggested by the masts)

dola=dul *departure, death*.

domhan *the world*; *a district, country*.

do-ním, -déanaim *I do, make*.

donn *brown, reddish*.

draig *a dragon*, metaph. *a champion*.

dreach r. *countenance*.

dreach-bhoig-geal *of soft, bright countenance*.

dreagan=draig.

dream f. *band, company, people*.

dréimire *ladder*.

droibhéal *a difficult pass*.

droimne *ridges*.

dromchla m. *surface*.

drúicht-fhliuch *dew-drenched*.

druid-fheactha *closely bent*, i.e. *thickly growing and laden down with fruit*.

druim m. *back*; *surface*; do dh. *on account of*.

duaibhseach *surly, ugly*.

dual *natural, fitting*.

duan f. *poem*.

duasach *abounding in rewards*; *gift-bringing*.

duas-bhog *generous with gifts*.

dúil f. *creature, element*.

dúla *fitting*.

dumha f., acc. dumhaidh, *a mound*.

dún, dúnadh *stronghold, castle*.

dursan *sad*.

eachd *obligation.*

eachraidh f. *steeds.*

éachtach *warlike* (éacht *a slaying*).

eachtronn *foreign* ; *a stranger.*

éag, gen. éaga, *death.*

éagasg m. *form, appearance.*

éagruaidh *unhard, tender.*

éagsamhail *different* ; *remarkable.*

eala *swan.*

ealach *having swans, swan-haunted.*

ealadha, ealatha f., gs. -an, -na *art, the art of poetry.*

ealta f., gs. -an, dat. acc. -ain, *bird-flock* : metaph. *warriors.*

eang f. *track.*

eangnamh m. *prowess.*

éanlaith, collect, *birds.*

éaraic f. *blood-price, compensation*

éaraim *I refuse.*

earla m. *hair of the head.*

earr f. *end* ; *pennant, streamer.*

easbhach *unprofitable, disadvantageous.*

éasgaidh *swiftly, speedy.*

eatha *crops* (pl. of ioth).

éigéillidh *senseless, foolish.*

éigne m. *salmon.*

éigsfhile *a learned poet.*

éigeas *learned man, man of letters, poet.*

éigsi-gheal *of bright learning.*

eilit *doe, hind.*

eimhear *granite.*

eineach, oineach m. *honour, generosity.*

eirg, imper. *go.*

eissíodh m. *strife.*

eó m. *salmon.*

eochair *key.*

eól m. *guidance.*

eólach *learned, skilled.*

1 fa prep. *by, about, on.*

2 fa, fá past tense of is.

fad-ochta *of a deep bosom* (ucht), *deep-bosomed.*

faid-eachtra *a far journey.*

fáidh *a prophet, sage, poet.*

faillsighim=foillsighim *I reveal, make known.*

failm-ghéagach *palm-branched.*

fáin-riasg *sloping marsh*

fairche *parish, district.*

fáisdine *prophecy, divination.*

fál *fence.*

fann *weak* ; of hair, *sleek.*

faoidh *cry, call.*

féachaim, féaghaim *I look at, regard, consider.*

féachain, féaghain, *regarding, considering.*

feactha *bent, curved.*

féagh- see féach-

feallsamh *philosopher.*

féarach *grassy.*

-feas, ro-f. (perf. pass. of ro-fidir) *it is known.*

feasda *now, henceforth.*

fiach *price, value.*

fiadh *wild, uncultivated land* ; fig. *a country,* as Fiadh Una *Land of Una,* i.e. *Ireland,*

so called from the mother of
Conn Céadchathach.

fiadhain *witness.*

fian f., gs. féine, *a warrior-band.*

fian-laoch *a warrior-errant, a hunter.*

fiar *curly, bent.*

fiar-choll m. *a stooping,* i.e. *heavily-laden, hazel-tree.*

file, gs. and gp. -eadh, pl. -idh *poet.*

filleadh *turning, returning, turning away, desisting.*

fillim *I turn away, retreat.*

fine m. and f. *a kindred.*

finn-shlios m. *fair side,* or *wall.*

fioch *rage.*

fioch-bhorb *fierce in wrath.*

fioch-lonn *impetuous in anger.*

fiochmhar *fierce.*

fiodhbhaidh f. *forest.*

fionnachtain *knowledge, discovery.*

fionn-bharr *fairheaded.*

fionnfhuar (ionnuar) *cool, refreshing.*

fionn-urlár m. *fair floor, interior.*

fíor-bhun *true basis.*

fíor-fhoghal f. *stout foray.*

fíor-ógh *true maiden.*

fíre *true, genuine, real.*

fír-fhearr *really best.*

fír-shreabh *pure stream, spring-water.*

fíthe (p. 63) usually seems to refer to wicker work ; teach f.

a woven house, i.e. *of interwoven rods,* Laws, cf. Ériu 5, 56z. For the use here cf. ciabb f. *Dánta Grádha*[2] p. 95 ; fabhra f. Ériu 4, 62.

flaith *prince.*

flaith-mhílidh *princely warrior.*

fóbraim *I attempt.*

fochan-shlat *stem of young corn.*

fochlocán *a student in the preparatory grade of a bardic school ; a schoolboy.*

fód *sod ;* fig. *land, country.*

fód-sgorach *with sodded paddock.*

foghal, foghail, f. *reaving, spoiling.*

foghar m. *sound.*

fógraim *I proclaim, announce.*

foilghim *I conceal, suppress.*

foillsioghadh *revelation.*

foirbhthe *mature, perfect ; polished.*

fóirim *I succour, rescue* (ar *from*).

foirleathan *widely spread.*

foirn = orainn.

foisdine *steadiness, calmness.*

fola *grudge, enmity,* acc. pl. folta.

folach *concealing, suppressing.*

folamh *empty, lonely.*

fonn m. *land, country.*

fomhóir m. *a Fomorian or sea-robber,* fig. *a giant.*

forusda *prudent.*

fraoch-lann f. *a fierce blade.*

froighidh, acc. of froigh, fraigh *wall, edge.*

I

fuath *hate, a hated object.*
fuidheall *remains, trace.*
fuigheall *utterance, declaring.*
fuil f., gen. and pl. fola, fala, *blood, stock, kindred.*
fuineadhach *western* (fuineadh *sunset*).

ga m. *spear ;* ga gréine *sunbeam.*
gabhlach *forked, branching.*
gáibhtheach *dangerous.*
gáir f. *cry, shout.*
gann *scanty, poor.*
gaol geineamhna *parents, blood-relations.*
gar *near.*
gart-ghlan *of bright hospitality.*
gartha *warm, glowing.*
géag f. *branch, limb ;* fig. *stripling, scion.* As a prefix it often has a vague complimentary force, *graceful.*
géag-bhonn m. *graceful sole.*
géag-nuaidhe *fresh-limbed.*
géag-sdarach *of storied branches* (?) ; cf. buadhbhrogh . . . stuama starthach stéadbheannach (of a castle) Kilk. Arch. Journ. i '480.
geall m. *pledge, promise.*
geineamhain f. *birth.*
geis f., pl. geasa *prohibition.*
géis *swan.*
géisim *I cry.*
giall *hostage, pledge.*
gioll ds. of geall.
glais-ghéar *blue-gray and sharp.*

gleannach, of hair, *undulating, wavy.*
glonn *valorous.*
glóraighe *noisiness, mirth.*
gné f. *appearance, hue ;* sort, species.
gníomh-fhoirbhthe *of well-executed deeds, of accomplished prowess.*
gnúis f. *face, countenance, presence.*
go, with dat. *with,* with acc. *to, as far as* ; before art. gus-.
gonaim *I wound, slay.*
greadhnach *clamorous, gay.*
greann-toigh, dat., *gay dwelling.*
grianach *sunny.*
grianán m. *sollar, balcony.*
grian-fhoithir *bright thicket.*
grian - shruth m. perhaps a stream of which one can see the gravel bottom, i.e. *a clear shallow stream.*
gríobh *some fabulous monster, a griffin,* metaph. *a hero.*
gríos-úr *bright as embers, glowing.*
gruadh, gruaidh m. and f. *cheek.*
gruaid-deas, gruaidh+deas *with handsome cheeks.*
guaillidheacht *companionship.*
guais f. *peril.*
guin f. *wounding, slaying.*

iallach *leash.*
iarlacht f. *earldom.*
iarmairt *issue, descendants.*
iarnóin *twilight, evening.*

iath *land*.

iath-mhagh *level country*.

ibh=sibh pron. pl. 2.

idir adv. *at all*.

ilcheard f. *manifold craft*.

imeal m. *edge, border* ; pl. imle.

imil-mhéar *finger-tip*.

imreasain, imreasan *disputing, strife*.

inbhear m. *an estuary, river-mouth* ; *low-lying meadow*.

infheadhma *fit for action* (feidhm).

ingheilt, dat. *grazing, foraging*.

inghin-ghéar *sharp-hooved*.

inghníomha *ready for work*.

inn *us*.

innmhe *estate, riches, means*.

innill, go hi, *safely*.

inríoghtha *fit for kingship*.

inseach *islanded*.

iobhrach *having yews* (iobhar).

iodhan *pure, clear, bright*.

iolbhuadhach *many-gifted*.

iolmhaoine *various wealth*.

iomáin, gen. -ána, *hurling, or golf*.

iomarcaidh f. *excess*. d'i. ar *in excess over, exceeding*.

iomchor *carrying*.

iomchubhaidh *fitting*.

iomghuin *a combat*.

iomthús *proceedings*.

ionadh=ionad (inead) *place, stead*.

ionam *time, season, proper time*.

ionchatha *fit for battle, warlike*.

ionmhuin *dear, beloved*.

ionnarba *banishment*.

ionnladh *cleansing, refreshing*.

ionnramh *behaviour, management*.

ionnsoighidh, d'i. *towards*.

ionóla *ready for drinking*.

ionshluaghaidh *as good as a hosting*.

iontoghtha *fit to be chosen, worthy of choice*.

iontugtha *to be given*.

iorghoil f. *strife, conflict*.

labhra *speaking, speech*.

lacht m. *milk*.

lagtha gen. of lagadh *prostrating, laying low*.

lais=leis, prep. le+pron. 3 sg. m.

laithe m. *day*.

lán-bhaoith *very fond, innocent*.

laoidh *a lay, poem*.

laoidheangach *having ships, galley-haunted*.

leanabh=leanbh.

leanamhain *following* ; lucht leanamhna *followers*.

leanbh m., gen. leinbh, *babe*.

leannán *darling, lover*.

learg f. *slope, pasture*.

leasaighim *I maintain, cherish*.

leasg *reluctant, loth*.

leasoghadh *maintaining*.

leinibh, a form of vs. of leanabh.

leisge *reluctance*.

leithéan *a bird's mate.*

lí *hue.*

liade *the more numerous* (lia comp. of il, iomdha, líon-mhar).

lí-ghile *brightness of hue.*

linn-mhear *of lively or sparkling waters.*

lionn *ale.*

lionn-bhán *white-pooled.*

locaim *I shun, flinch from.*

loinnear-mhúr *shining rampart* (loinnear *sheen, brilliance*).

loise m. and f., *flame, splendour*; 1. an tsaoghail *the glory of the world.*

lonn *fierce; impetuous.*

luaidhim *I mention.*

luaighidheacht *reward.*

lubhghort m. *herb-garden.*

lucht *people; complement*; 1. luinge *a ship-load.*

lúdh m. *agility, vigor, activity.*

luibh f. *herb, flower.*

luinche p. 27, see note.

macámh, macaomh *a young noble; a youth.*

magh dat. moigh, gen. and pl. muighe, moighe, gp. magh, moigheadh, *plain.*

maigh-learg f. *sloping plain.*

maighre, pl. -eadha *salmon.*

maighreach *abounding in salmon.*

mairim, maraim, *I live, remain.*

maise *beauty.*

maoidhim *I proclaim, announce.*

maoin f. *wealth, goods.*

maoith *tenderness, dejection.*

maoith-dearg *young (tender) and ruddy.*

maothán *a tender twig, stem.*

maraim, see mairim.

maraibh, see muir.

marcach *rider.*

meadh f. *balance, scales.*

meadhair, gen. -dhrach *gaiety, happiness.*

meala, subj. sg. 2, 3 of meilim, *I wear, wear out.*

meanma *mind, spirits.*

meann-chruit f. *lute.*

mear *rapid, lively.*

mearbhal m. and f. *bewilderment, confusion.*

meardha *lively, agile.*

1 meas m. *estimation.*

2 meas *oakmast, acorns.*

méath-bhog *plump and tender.*

méin *mind.*

meinic = minic.

meisde = misde.

millim *I spoil, violate.*

1 mín *plain, fertile land.*

2 mín *smooth.*

mín-dealbh *smooth shape.*

míon-doireach *of pleasant groves.*

móid f. *anger.*

moidhidh as *bursts forth.*

moigh, moigheadh, see magh.

moin = muin.

moirn f. *love, honor, bounty.*

mór-bhog *great and kindly.*

mór-chumha f. *great grief.*

mórdhacht *haughtiness.*

muin *back* ; do mh. *because of.*

muing-fhionn *fair-haired*
(mong).

muir, moir m., dat. pl. maraibh,
sea.

múr m. *rampart, castle.*

nachar, neg. = nár.

náir *modest.*

neach *a person, anyone.*

neamh-chroideamh *unbelief.*

neamh-chruinn *un-niggardly.*

neamh-thal *disinclination* (tol
love, desire).

neamh-thruagh *unpitiful.*

neanaidh *nettles.*

neimhe (gen. of neamh *venom*)
fierce, dangerous.

neimheadh m. *a sacred or
privileged place or person.*

neimh-inumhe *want of wealth,
lack of means.*

neimh-iongnadh *natural.*

no = O. Ir. dano, Mid. Ir. dno,
then, indeed.

nocha = ní.

nóin, gen. nóna, acc. nónaidh
noon.

nós m. *fame.*

nua *new, fresh, bright* ; *youthful.*

nua-bhallach *brightly flecked.*

nuar, in mo n. *alas.*

nús m. *biestings.*

-ód demons. suff. *yonder.*

óg-ard *young and tall.*

ógh *pure, sinless.*

óg-sgol f., collect, *young scholars.*

óidh = aoidh.

oidhidh *death, destruction.*

oighir *heir.*

óig-mhílidh *young warrior.*

oileamhain f. *education.*

oilim *I cherish, bring up.*

óinmhid f. *idiot.*

oineach = eineach.

oirdhearc *famous, conspicuous.*

oireaghdha *stately.*

óir-eang f. *a golden strip.*

oirear m. *territory, district.*

oirmheata *timid, spiritless.*

oirne = orainne.

óir-sgiathach *having golden,* or
gilded, shields.

ollamh *a qualified craftsman, a
finished poet.*

omhan *fear.*

onchú *a fabulous monster,*
metaph, *a hero.*

ónda, ónna *timorous.*

ór-armach *having golden weapons.*

orchra f. *decay, sorrow.*

ór-chuladh *golden raiment.*

ordhraic = oirdhearc.

orláimh f. *custody, charge.*

ór-nocht, of the hair, *golden and
flowing* (nocht *bare,* i.e. *un-
confined*).

osluigim *I open.*

ós *over, above* (regularly lenites,
but in some phrases, as : os
chionn, the lenition is often
absent).

pailm, failm f. *palmtree*, used as a complimentary epithet.

peannaid *penance, penitence*.

poinn *point*.

príosún, bríosún m. *prison*.

ra-ghlan *very bright*.

ráidhim *I say*.

ra-mhaille *great slowness*.

rann *part, alliance*.

raon-chlár m. *pathed plain*.

ráth, ráith m. and f. *castle*.

ráthach *having castles*.

re (O. Ir. fri, later confused with le *with*), *against, by*.

ré n- *before*.

1 ré *period, career*.

2 ré f. *moon*.

reacht *rule*.

rian m. *course, path*.

riar *satisfying, obeying*.

riarach *compliant, agreeable*.

righe *striving*.

rígh-fhian f. *royal warrior-band*.

rinn-líomhtha *with ground point*.

riogh-adhart *royal pillow*.

ríogh-bhuille *a kingly blow*.

río-ghobhal *royal prop*.

ríoghradh f. collect. *kings*.

rithlearg *rhetoric*.

ro- with verbal forms = do-.

robhadh m. *warning*.

ro-bháidh *great love, bond*.

ro-chongbháil *sustaining strongly*.

ro-dhoiligh *very troublesome*.

rogha f. *choice*.

roichim *I reach*.

roi-éad *great jealousy*.

roimhe, *before him*; *onwards*.

roinn f. *share, sharing*.

roiseam subj. and fut. pl. 1 of roichim.

róm, romham *before me*.

ro-thol *great wish, (strong inclination*.

rú, the prep. .re (O. Ir. fri) + pronominal suff. pl. 3.

ruaig-fhearg f. *anger of onset*.

rún m. *intention, purpose*.

rún-bhras *stout-hearted*.

sádhal *soft, easeful*.

sáile *brine, ocean*.

samhail, gen. samhla *like, similitude*.

saoire *nobility*.

saora *privileges, prerogatives*.

saor-aghadh f. *noble face*.

saor-chlann *a noble*.

saor-chur, gen. -adh, *noble champion*.

saor-shlat f. *noble rod, scion*.

saoth *bitter, sorrowful*.

sdíom ? Cf. Ir. Gr. Tr. Decl. ex. 885 ; Ir. Monthly 1927, 593 ; K. Meyer Miscell, 170.

seach, fa s. *in turn*.

1 séad m. *chattel, treasure*.

2 séad m. *path*.

seaghdha *fine*.

sealadh m. *space of time*.

sealbh f. *possession*.

sealbhaim *I hold, possess*.

sealbhaighe *possessor*.

sealg f. *a hunt, a hunting party.*

seanchus m. *history*; as vn. *informing, giving information.*

seang *slender, graceful.*

sean-laoidh *ancient lay.*

seanmóir *sermon, sententious speech.*

seinEamhain *ancient Emania.*

séis f. *cry.*

seise *darling.*

seisgeann *bog.*

sgáile *shadow, reflection.*

sgairbh *a shallow stream, a ford.*

sgaoilim *I open, disperse.*

sgé, gen. sgeach; sgeach f., gen. sgeiche, *a thorn, white thorn.*

sgiath f. *shield, fin.*

sgíoth m. and f. *weariness, dejection.*

sgoith *choice, pick.*

sgol *a strain, warbling.*

sgolaidhe *a scholar.*

sgríbheann m. and f. *piece of writing*; *charter, title-deeds.*

sguirim *I desist, rest.*

sgur *resting, desisting, ceasing.*

sidhe *blast.*

silleadh *glancing.*

sínim *I stretch forth*; *depart.*

síodh, m. and f. *elfmound.*

sí(o)dh- sí(o)th- *peaceful*; *elfin.*

síodhaidhe *an elf, a wondrous being.*

síodhamhail *peaceful*; *fairylike.*

síodh-shaor *gentle and noble.*

sionnchamhail *foxy.*

síor *continual, lasting.*

síor-chur *ever casting.*

síor-radharc m. *perpetual sight, view.*

sí(o)th- see sí(o)dh-

sirim *I seek.*

sír-righin *ever slow, lingering.*

sír-sheinm *constantly playing.*

sith-chealgach *with swift cunning.*

síthe attrib. gen., *elfin, fairylike,* see síodh.

síth-lios *fairy homestead.*

slat f. *rod, stem*; metaph. *a youth.*

sleagh f. *spear.*

sleamhain *smooth.*

slighe f., dat. and acc. -idh, *way, road.*

slim - leachta *smooth stonemounds* (?). The precise meaning is doubtful here.

slios m., pl. sleasa *side, wall.*

slios-chorr *smooth-walled.*

sloinnim *I name, tell.*

sluaigh-fheadhan f. *hostingband, troop of warriors.*

smaolach m. *thrush.*

snaidhm *difficulty, trouble.*

snáithe *thread-work, webbing.*

sníomh m. *twisting*; *labor, sorrow.*

snuadh *hue, bloom.*

sochruidh *comely.*

1 sódh *turn, experience*

2 sódh m. *pleasure, happy state.*

soighin, do sh. *towards.*

soiréidh *very simple.*

sompla m. *sampler.*

son, ar s. *because of*; ar s. go *although.*

sonn *here.*

spás m. *space, lapse of time.*

sreath *row, range.*

sriobh-fhann *of placid streams.*

sriobh-mall *of lingering streams.*

sróill-earr f. *satin streamer.*

suadh gen. of saoi *a skilled craftsman, artist.*

suaigheanda *conspicuous.*

súl-ghlas *gray-eyed.*

sunna *here.*

súr *seeking, exploring.*

tabhach m. *levying, collecting dues.*

tadhall m. *visit, sojourn.* attrib. gen. tadhaill *transitory, brief.*

tadhbhás *was revealed* (perf. pass. of the verb connected with taidhbhse).

táin f., gen. tána *driving* (cattle) *a drove,* metaph. *a company, troop.*

tair, imperat. *come.*

tairgim *I offer, aim.*

tairm *noise, fame.*

táirreas *I obtained.*

taise *humidity*; *fertility.*

talamh m., gen. talmhan, dat. -ain *earth, land.*

tall-ód *away yonder*; *long ago.* (see -ód).

taobh m., gs. taoibh, taobha *side, body.*

taom *a fit*; *a degree.*

taosga *sooner, soonest.*

tarathar m. *an auger.*

tarfás perf. pass. *was revealed.*

tarla *happened.*

1 teachta *coming.*

2 teachta *messenger*; *announcement.*

teachta, verbal of necessity of tigim *I come.*

teadhma a by-form of teidhm *plague, disease, trouble.* similarly : ina dún fuair. teadhma trén ZfcP 8, 227.

teagar *arrangement.*

téagar *protection.*

teaghlach m. *household, followers.*

teagmhaim *I occur*; teagaimh do *visits.*

tealach=tulach.

téalaighim *I disperse, dismant le* (?) Cf. Ir.Gr.Tr.Decl. ex. 1428.

teallach *hearthstone.*

teann *stiffness, sternness.*

tearc *few, scarce.*

teasgaim *I lop, shear.*

téid-bhinn *sweet-stringed.*

tí, ar t, *making for, approaching.*

tigim *I come.*

tim *weak, timid.*

timcheal, i dtimchiol *around.*

tiogh, compar, tighe, *dense, numerous.*

tiompán *a musical instrument, tympanum.*

tiorm-moigheach *of dry plains.*

tnúdh m. and f. *envy, emulation.*

1 tocht *silence.*

2 tocht *coming.*

togha f. *choice, election.*

toice *fortune.*

toil, tol, tal *love, inclination.*

tóir f. *chase.*

toirneamh *setting down.*

tolg *a swell, bulging* (?).

toll m. *a pierced hole.*

tonn f. *wave ; surface, skin.*

toradh, taradh *fruit, crop.*

torchur *windfall ; sea-waif.*

torrach *pregnant.*

trácht m. *beach.*

tráighim *I ebb, dry up.*

treabh f. *homestead, dwelling-place.*

tréad m., gs. treóid *flock.*

tréidhe *a quality, trait, virtue.*

treimhse *space of time.*

tréine an analogous compar. of tréan *strong.*

tréin-niadh *strong champion.*

treóir *vigour.*

triall, gen. -a, *setting forth, faring.*

triallaim *I fare forth, journey.*

triath *ruler, lord.*

tríocha céad m. and f. *a subdivision of land, a cantred.*

trócaireach *merciful.*

trom-dhámh f. *a numerous company.*

tuaidheamhain *north.*

tuar m. *presage, omen.*

tuilim *I flood.*

tuill, gs. of toll.

tuir, vs. of tor *tower,* metaph. *a chief.*

tuireamh *recounting.*

tuisleadh *fall, misadventure, misfortune.*

tulach, tealach f. *hill, mound.*

turchurtha m. *windfalls, sea-waifs ; fruitful.*

uagh f. *grave, tomb.*

uaithmhéalda=óibhéala,cioth u. *a downpour as if the heavens were open.*

uallach *haughty.*

uall-chath m. *proud warriors* (uall *pride*).

uamha gen. of uaimh f. *cave.*

uamhan *fear.*

ucht, re hu. *at, by.*

úidh=aoidh.

uille, dat. and acc. uillinn *elbow.*

uirrim f. *respect, service.*

um prep. gov. acc. *at, by ; concerning ;* with pron. 3 sg. m. uime.

umha *bronze.*

1 úr *fresh, green, young, bright.*

2 úr m. and f. *clay.*

urra m. *a surety.*

urusa *easy.*

INDEX

APPENDIX

Here, for the sake of completeness. I add references to the manuscript sources not specified in the Notes on the Selections. The orthography has usually been normalized in the printed texts, and some obvious emendations have been made silently.

p. 21 The Shannon   text from RIA 3 C 13 ; 23 I 40
p. 23 Inaugural ode   ,,   ,,   3 C 13
p. 26 Welcome tidings   ,,   ,,   3 C 13
p. 31 A lost landmark   ,,   ,,   A iv 3
p. 33 Remember thy Creator   ,,   TCD H 3 19, I have omitted a few stanzas.

p. 37 Alexander's empire   ,,   RIA A v 1,
p. 39 Teachings of Cormac   ,,   ,,   3 C 13, C iv 1,
p. 45 A father's lament   ,,   ,,   23 P 16
p. 51 The folly of wisdom   ,,   ,,   23 L 17,
p. 59 A story from the Táin   ,,   ,,   C iv 1, with occasional readings from. Zfc P 2,. 344.

p. 62 A story about Hercules   ,,   ,   3 C 13. In 2 cd.the MS. has :

lámh lagtha luithmhilidh ttrén
dalta caithghníomhar ttroighén.

In d the second word does not rime with *laithmhilidh*, nor does it make the necessary alliteration with the next word ; *laithmhilidh* could not be gen. pl. ; the last syllable may safely be altered to *eadh*. The first syllable might be emended simply by lengthening the *-a-*, *láith-* ' warrior-' would make sense. Then, for the riming word we could read *táith-ghnímh-fhear*, which would rime perfectly, and *táth* ' joining' might perhaps be taken in the sense of ' securing, guarding,' But the next word *ttroighén* could only mean ' of the Trojans.' There is no sound reason why the poet should not connect Hercules with the Trojans, but the phrase *fir Throighéan* ' the men of the Trojans,' seems to me to be unlikely ; I have not noted any exact parallel to it. Moreover, the prose version explicitly refers to Creon as *oide Ercail*. Therefore I have altered *ttroighén* to *Croidhéang*, *hníomhar* to *-ghnímh-fhear*, and *laith* to *fhlaith-*

p. 67 Demonstration   text from RIA 23 F 16 ; the MS.
                                         reading is obviously cor-
                                         rupt in a few places, and
                                         I have emended the follow-
                                         ing lines :
                                         1b *ios c. na gclár ndiom-
                                                    dha* c *nach cóir*
                                         11d *dalta trat fuair da e.*

p. 70 Tokens of a
         rightful prince   ,,   RIA 24 P 27,
p. 72 Conflicting counsels   ,,   ,,   A v 2, 23 D 3
p. 78 In defence of poesy   ,,   ,,   23 G 23, 3 C 12.